D0527335

MORCEAUX MOISIS

Dépôt légal, 4e trimestre 1981.
Bibliothèque nationale du Québec.
Bibliothèque nationale du Canada.
ISBN-2-7601-0341-2

IMPRIMÉ AU CANADA.

YVON BOUCHER

MORCEAUX MOISIS

Essais en journalisme littéraire

Jean ÉTHIER-BLAIS • Claude MAURIAC • Albert MEMMI • Gaston BACHELARD • Tzvetan TODOROV • Patrick STRARAM • Roland BARTHES • Marcel DUCHAMP • Roman JAKOBSON • Gérard GENETTE • Claire MARTIN • Samuel BECKETT • Jules RENARD • Cesare PAVESE • Gilles MARCOTTE • David COOPER • Sigmund FREUD • Gaëtane de MONTREUIL, etc.

Préface de Jean Basile

DU MÊME AUTEUR

L'OUROBOROS
Grandes Éditions du Québec, 1973.

L'OBSCENANT
Le Cercle du Livre de France, 1974.

DE LA VACUITÉ DE L'EXPÉRIENCE LITTÉRAIRE
Le Cercle du Livre de France, 1975.

PETITE RHÉTORIQUE DE NUIT
Éditions Pierre Tisseyre, 1978.

L'OULIPPOPOTAME
Éditions de la Queue, 1981.

Les araignées emploient deux voyelles et deux consonnes, puisqu'elles prononcent *tik* comme dans *critique* et *tak* comme dans *tac au tac*.

DUPONT DE NEMOURS

Mou: Le Québec
L'archibras 3, mars 1968

Préface

On a pu affirmer que chaque époque génère les critiques qu'elle mérite. Chaque milieu aussi et le nôtre, qui n'est pas le plus riche, a ses dignes représentants dans les média d'informations. Mais il est en littérature, critique comprise, des marginaux qui, dans leur isolement, continuent de crier leur rage première. L'auteur de cet ouvrage est de ceux-là. Il a flirté comme il a pu avec l'Établissement des Lettres. Il a même publié quelques livres qui avaient le défaut d'être trop bien écrits et issus d'un esprit pour qui la culture française ne s'arrête pas aux rives du Saint-Laurent. Mais il lui manquait ce je-ne-sais-quoi qui se traduit par une réussite. Ou plutôt, il avait ce je-ne-sais-quoi qui fait que l'on ne réussit pas ici: un amour absolu de la chose écrite. Si l'on ajoute à ce défaut, déjà rédhibitoire, un souci de l'indépendance et l'ironie propre aux paranoïaques (j'entends ce mot dans le sens pataphysique d'un Dali ou d'un Léautaud, par exemple), on se rend compte que les chances de survie d'Yvon Boucher sont minimes.

Mais si Yvon Boucher est fragile dans le milieu, il ne l'est pas devant sa machine à écrire et les textes qu'il a judicieusement réunis dans ce livre sont la preuve que la vie et le courage intellectuels ont la vie dure. Que le talent aussi a la vie dure. Que ce soit prétexte à une méditation sur l'économie de la littérature ou sur l'écrivain, "cet aliéné heureux", que ce soit une réflexion sur la nullité de certains livres que notre milieu produit, chacune des opinions d'Yvon Boucher reste avant tout une défense militante du bon sens et du bon goût qui parfois, au gré des modes, deviennent extravagance et assaut contre la culture universelle.

Ce serait donc un contresens de considérer les textes d'Yvon Boucher comme des "critiques" dans le sens limité qu'on leur donne dans les journaux et même dans les universités. Ce sont avant tout des pamphlets littéraires où s'exprime essentiellement un homme qui réagit non seulement à l'oeuvre mais à la vie qui l'entoure. Autant dire un auteur. Il s'agit donc d'une oeuvre personnelle, qu'il faut prendre en bloc avec ses partis-pris et ses a priori.

Cela explique bien des paradoxes et celui-ci qui devrait faire sourire: Yvon Boucher, que l'on considère dans certains milieux comme un "anti-féministe" forcené, a été l'un des rares critiques à parler ces dernières années, et avec coeur, d'une femme un peu oubliée, Claire Martin. Au fond, comme tous les solitaires, Yvon Boucher ne déteste pas la polémique qui est, d'une certaine façon, une illusion de vivre. D'ailleurs, que les femmes se rassurent, Yvon Boucher ne manque pas les hommes non plus dans leur arrogance intellectuelle et dans leurs petits mensonges. C'est dans l'ensemble de son oeuvre qu'Yvon Boucher se veut irréductible. Et disons, puisque nous le connaissons, qu'il n'aime pas plus à recevoir des compliments qu'à en donner.

Au demeurant, ce livre parfois injuste mais toujours passionné est un plaisir à lire. D'abord parce qu'Yvon Boucher connaît la langue française dans ce qu'elle a de plus précieux, de plus subtil au point (je l'en soupçonne) que la précision du style est pour lui plus importante qu'un jugement porté. Voilà, c'est un puriste. Ensuite, parce que l'on sent, entre chaque ligne, une culture profonde qui s'abreuve non seulement aux grands noms et aux grandes écoles, mais aussi à ces "petits maîtres" qui font de la littérature l'un des jardins les plus charmants à visiter. Il y a en Yvon Boucher (lequel des trois vais-je insulter?) un Jean Éthier-Blais qui sommeille et aussi un Victor-Lévy Beaulieu car ce dernier, sous les apparences que lui prête Yvon Boucher, est aussi un dévot des Lettres. Mais à la différence d'Éthier-Blais et de Beaulieu, Boucher ne sait pas y faire. Il faut peut-être chercher dans cette difficulté qui est la sienne de communiquer directement avec le milieu, l'une des raisons de l'agressivité de son style.

Les textes de ce recueil, dont des inédits, malgré quelques difficultés, ont été accueillis dans des journaux et revues comme, entre autres, *Le Devoir* et *Liberté*. Ces allégeances temporaires forcent en quelque sorte les limites du genre car il s'est trouvé souvent que l'on confie à Yvon Boucher, alors "jeune critique", des livres dont les critiques en place ne voulaient pas parler, soit qu'ils étaient, *in se*, insignifiants ou tout simplement barbants, soit qu'il fallait les prendre avec des pincettes. C'est ainsi qu'Yvon Boucher s'est trouvé dans la tâche difficile de commenter dans *Le Devoir*, dont ils sont des piliers, les livres d'Éthier-Blais et de Béguin. Naturellement Yvon Boucher est tombé dans la trappe. Quant aux autres, les insignifiants, les barbants, force est de dire qu'Yvon Boucher vérifie ce truisme local que les critiques sont parfois meilleures que les livres.

Malgré tout, je trouve regrettable qu'il n'ait pas été donné à Yvon Boucher le pouvoir de commenter, à l'occasion, des oeuvres plus consistantes, plus représentatives de ce que nous faisons ici. C'est là une des pauvretés de notre milieu de ne pas pouvoir avoir un éventail suffisant de journaux littéraires, hebdomadaires ou mensuels, où des hommes comme lui pourraient faire valoir leurs points de vue. Nos limites, autant que notre manque de générosité, nous privent de cet apport précieux que sont les réflexions d'un homme déterminé et libre car ce sont eux souvent, sous leurs traits revêches, qui sont les plus fervents amateurs de la chose écrite.

Toutefois, faut-il le dire? il n'est pas nécessaire d'attendre qu'on vous invite pour poursuivre une oeuvre. Si le démon critique qui semble habiter Yvon Boucher ne veut pas se taire, qu'il écrive! Après tout, comme cet ouvrage le prouve, toutes les avenues ne sont pas fermées. Un livre, certes, n'a pas le public d'un grand journal ou d'un magazine, mais n'est-ce pas le livre qui dure?

Jean Basile

Toutvabienovich

En Barbarie, la critique littéraire journalistique est un genre inconnu. Il n'y a d'événements que politiques: le rhume d'un chef d'État y prend valeur de manifestation culturelle et tout écrivain qui veut s'imposer doit politiser son rapport avec les mots.

La Barbarie semble ignorer l'intelligence, le langage discursif, la spéculation pure et l'abstraction. Ses maîtres à penser sont bardes et chansonniers, ses théoriciens poètes. Les procès contre l'Esprit y sont légion: écrire ne peut être perçu comme une "activité intellectuelle".

L'écrivain barbare ne veut jamais être critiqué. Il préfère être accepté inconditionnellement, même si c'est pour de mauvaises raisons. Il idolâtre la notoriété au détriment de la compréhension; comme toutes les natures médiocres, il privilégie la vanité contre l'amour.

Le public de Barbarie est, pour sa part, en dessous, si cela se peut, de ses écrivains. La presse écrite peut inciter aux collaborations les plus molles, faire se côtoyer un copieur de communiqués de presse avec une potineuse impressionniste, un compilateur de fiches de bibliothèque avec un critique un peu plus systématique sans que le public n'y voie aucune différence ni ne réclame aucune compétence. D'ailleurs, la compétence est inutile. La forme est inutile. Le style est inutile. Le talent est inutile. La personnalité est inutile. Ils sont même le signe assuré d'un rejet en bonne et due forme.

En Barbarie, intelligentsia s'écrit intelligantia: on prétend que l'orthographe particulière découle du mot gant qui rappelle l'art du baise-mains et du rince-doigts. En ce pays, l'esprit s'adapte admirablement à la lettre.

La Barbarie est un petit pays imbu de sa dévaluation personnelle et de son ressentiment. Si elle méprise tant ses intellectuels, c'est sans doute qu'ils représentent la démesure face à ses propres limitations...

Heureusement qu'il y a le Québec!

L'écrivain et sa condition

L'économie de la littérature

La jeune âme qui, à notre époque troublée par les turpitudes de plus en plus envahissantes des mass média, s'épanche sur les aspects les plus inavouables de son vécu, sur les grandeurs évidentes de ses théories, sur la troublante confusion de ses sentiments, sur l'inanité de la vie et de la mort, cette jeune âme, dis-je, qui noircit du papier à la lueur d'une chandelle, dans une romantique mansarde ou, tout aussi bien, en plein coeur d'un café snob où l'on vous sert un petit pain fourré à la mode de Hambourg (entendez brutalement: un hamburger) à la stricte condition que vous soyez un peu pédale et que vous ayiez réservé, deux jours à l'avance, cet espace si spectaculaire, lieu d'une écriture vécue sous l'angle d'un geste théâtral et mégalomane, cette jeune âme, redis-je donc avant de me défigurer sur une dernière subordonnée qui ferait inéluctablement la preuve que je ne suis pas Marcel Proust, sait-elle qu'elle est tout bonnement en train de fabriquer un parallélépipède rigide ou semi-rigide, de dimensions réduites (le huit et demie par onze blanchâtre pouvant éventuellement aboutir à un simple "pocket book"); utilisable et transportable sans effort physique appréciable, à moins que la jeune âme en question s'appelât Restif de la Bretonne ou Victor-Lévy Beaulieu; facilement stockable sur les rayons d'un magasin, indifféremment librairie ou bibliothèque?

L'auteur sait-il qu'il fabrique un livre? J'insiste sur l'article indéfini, malgré l'ego de l'auteur qui ne veut voir que "son" livre au terme de "son" manuscrit, qui nous renvoie nettement à une production, donc à une industrie, donc à une économie.

Sans doute l'écrivain américain est-il moins spiritualiste face à ses épanchements existentiels. La masse imposante de la clientèle possible, probable, appelle un constat matérialiste, ou à défaut matérialisable, de la culture. Ici, ou plutôt là, puisque c'est un peu plus au sud que cela se passe, la comptabilité a vite fait de rejoindre l'idéologie. À partir d'un certain point de saturation, "la grandeur de ces espaces infinis" sent la sueur et l'argent: je soupçonne l'écrivain américain de ne pas sombrer dans l'idéalisme pascalien ni dans aucune des autres formes que cette maladie de l'esprit puisse prendre. L'espace du désert appelle l'Esprit, même si c'est celui du Malin; l'espace surpeuplé appelle la dialectique de l'offre et de la demande.

Je me souviens avoir vu, sur une chaîne américaine de télévision, une bande publicitaire d'une trentaine de secondes sur le nouveau roman d'un auteur qui m'était inconnu. L'habileté du montage, en regard du temps alloué, était impressionnante au point de troubler l'apparente pondération ironique d'un Jacques Godbout. Je me prends à penser que l'auteur du roman en question a dû comprendre ce que j'ai compris plus tard et que, surtout, il a dû perdre ce qui lui restait de naïveté face à son ancien manuscrit; il a dû voir ce qui crevait les yeux: le livre est *aussi* un produit de consommation qui s'adresse *aussi* à un "marché". Comment ne pas peser ses mots, du poids de l'argent sonnant, après un tel visionnement?

L'auteur d'ici, l'auteur québécois, fait encore la coquette devant la pomme de l'arbre de la connaissance du bien (l'esprit) et du mal (l'argent) qu'il n'a pas encore croquée. Son idéalisme, ainsi que sa schyzophrénie, se mesurent à l'aune du vert paradis terrestre des amours scripturaires: l'écrivain québécois est, encore, un innocent.

Pendant qu'il "communie" sur sa feuille blanche, d'autres, les "bas intermédiaires", empochent les sous en faisant croire au *Conseil des Arts*, bien-être social de petite-bourgeoisie, que tout le monde est ruiné par la littérature. On écrit comme on allait, jadis, à la messe: pour la galerie, pour la gloire et, surtout, pour des "peanuts". Affreux écureuils qui nous préparions, préparons aussi, pour le long, le très long Hiver Éternel. Bref, on écrit pour la postérité, cette autre forme d'immortalité, laïque celle-là. On a blanchi la robe du Frère André pour en faire des feuilles manuscrites que l'écrivain s'empresse d'aller porter, agenouillé, rotules contre marches, à l'Éditeur, substrat d'un lointain Oratoire Saint-Joseph...

L'auteur d'ici, au lieu d'assumer et de comprendre les *conditions objectives de l'industrie de l'édition*, passe du tout au rien. L'actualité la plus immédiate, à cet égard, est exemplaire à souhait. Ainsi, sur la page titre d'un hebdo télévisuel bien connu, voit-on apparaître quadrichromiquement la photo de Francine Dufresne déguisée en campagnarde, râteau aux mains. On apprend qu'elle a troqué la plume contre légumes et s'est fait une raison "à la mesure de la terre"; désormais, entre le chou et le chou-fleur, elle aura son émission télévisée. Hier, elle apparaissait à *Femme d'aujourd'hui* pour nous parler de *Maudite solitude*, aujourd'hui ce sera pour nous entretenir d'agriculture. Louis Francoeur, pour sa part, est passé de la "pohésie" à la guitare électrique. Ces exemples, arbitraires, sont à prendre pour la symbolisation qu'on en fait. D'aucuns diront que les Lettres n'ont pas souffert du départ de ces deux zigotos. Quoi qu'il en soit, notre écrivain, au contraire de son cousin du sud, lorsqu'il passe à la télévision, devient auteur de recettes ou "rocker" encombrant. Maudite solitude, en effet, que celle de l'écrivain québécois!

On sort de la littérature parce que cela ne paye pas. Le réflexe accuse la myopie spiritualiste: la littérature, même "pure", fait partie d'une industrie et cela, l'écrivain d'ici ne l'a pas encore compris, d'où sa propension à vivre son destin sous le mode du dédoublement. Il faut faire l'ange ou la bête. Il est significatif de constater qu'un de nos gros éditeurs de littérature annonce, dans son catalogue, une collection qui s'intitule "La collection de l'ange" et qui annonce: "simplement, pour la reconnaître, un signe particulier: le petit ange qui à l'école, distinguait les meilleures copies". On aura compris les assises idéologiques d'un tel "détail". Toute une conception de l'écriture et de l'écrivain québécois est inscrite en filigrane dans l'image de cette collection. La gloire littéraire et l'angélisme sont les seuls salaires de l'auteur.

Cette psychologie de la littérature, perçue sous l'angle du bon-élève-fort-en-thèmes, ne cesse de produire ses effets à l'avantage de l'industrie du livre et au détriment de l'écrivain. Elle a l'énorme inconvénient, surtout, de couper le champ culturel en deux: les recettes, les esthètes. D'un côté, un Rock Poisson ou une Reine Maleau nous assomment avec des livres "légers" qui se "digèrent" bien, en faisant de la littérature une variante snob de l'univers crétin du "show bizz"; de l'autre, quelques professeurs de cégep et d'université, bien bardés derrière leurs maîtrises et leurs doctorats, pratiquent des "écritures" intervenantes dans des revues ou des plaquettes sottement prétentieuses. D'un côté, la démagogique intervention des "pushers" de best-sellers; de l'autre, la quinta essentia des détracteurs de la mauvaise foi capitaliste. Côté recettes, entendons par ce vocable tout mode d'emploi ou de transformation de la viande pouvant s'appliquer tout aussi bien aux rôtis de soeur Berthe qu'aux fesses maquillées des jeunes couples "in" de *Nous*, côté recettes, donc, le fric, côté esthètes, la gloriole.

L'écrivain sérieux, on commence à le voir, l'esthète, le "pur", bref, le littéraire est stimulé à faire l'ange contre vents et marées, cette image n'interdisant pas, cela va de soi, qu'on soit sur la crête de la nouvelle vague. L'écrivain "littéraire" est donc bien dressé, depuis la petite école, à ne recevoir pour récompense de son *travail*, que le produit distillé de celui-ci. On paye l'écrivain "sérieux" avec cela même qu'il produit: des mots, des livres. L'auteur reçoit, avant toute chose, précisément, ses "exemplaires d'auteur". Quant à ses "droits d'auteur", ce sont à peine des devoirs sérieux pour son éditeur. Auteurs soyez prévenus une fois pour toutes, qu'il ne faut pas compter sur plus de la moitié des choses qui vous sont formellement promises de par votre contrat! La même monnaie de singe est servie aux critiques littéraires qui sont payés de leurs "bonnes copies", comme à la petite école, par des "services de presse" et oui, encore des livres! avant toute chose. Rien d'étonnant à cela *puisque la littérature ne paye pas*. L'écrivain finit par le croire et le public aussi.

Étrange aveuglement du lecteur et de l'auteur qui ne semblent pas voir tous les corps de métier, tous les individus allant du simple manuel jusqu'au petit professionnel, qui vivent du travail même de l'écrivain: l'éditeur avec son personnel de secrétaires, de lecteurs, d'attachés de presse, de comptables, de maquettistes, d'expéditeurs et j'en passe. L'imprimeur avec ses presses à prix d'or, ses typographes, ses monteurs, ses pressiers, ses coupeurs, ses relieurs, ses "hommes sur la route" et j'en passe. Le distributeur avec sa flotte de camions, ses chauffeurs, ses manutentionnaires et j'en passe. Le libraire avec ses commis sous-payés, ses investissements immobiliers, sa comptabilité et j'en passe. Les bibliothèques avec, elles aussi, leurs commis, leur personnel cadre et leurs budgets (allez consulter la comptabilité d'une bibliothèque de cégep et faites des multiplications...) et j'en passe. La presse écrite et parlée avec leurs spécialistes et commentateurs et j'en passe. Les professeurs de lettres avec leurs étudiants et je n'en finis plus d'en passer car j'en ai mal au coeur...

Faut-il insister davantage et montrer la plaie du doigt? Faut-il parler de ces éditeurs qui se font subventionner jusqu'à trois fois pour un même manuscrit, sans le publier, devant la vigilance aveugle du *Conseil des Arts*, afin de jouer avec un capital flottant qui ne peut que rapporter des intérêts? Faut-il parler des éditions fantômes qu'un éditeur fait sur le dos et à l'insu d'un écrivain qui marche auprès du public, afin d'empocher un 15% ou un 20% qui ne lui revient pas? Faut-il parler d'un même manuscrit, du même auteur, qui reçoit deux subventions sous deux titres différents? Faut-il parler du dumping français à l'égard des Québécois ou du dumping québécois à l'égard des Africains? À colonisés, colonisés et demie... Ces insinuations générales et tendancieuses pourraient facilement être soutenues par le témoignage de quelques écrivains célèbres d'ici et le seront peut-être bientôt dans un *Dossier noir de l'édition* qui révélerait aisément que les écrivains "sérieux" sont les nègres blancs d'une industrie qui s'affiche comme étant toujours en ruine.

On me fera remarquer que le coeur humain n'est pas à refaire et que depuis que l'homme existe, existent fraudes, stratégies de détournements de fonds et vols. Je répondrai que là où il y a fraudes, détournements de fonds et vols, là il y a capital. Et s'il y a capital dans l'industrie du livre, il y a travail. Il faut donc que l'écrivain comprenne qu'il est un travailleur lésé de son salaire, un travailleur exploité.

Tous les éditeurs et tous les libraires crèvent de faim? La littérature n'est pas "un bon vendeur"? Allez donc voir, chers écrivains qui crevez de faim et qui vous limitez au narcissique plaisir de vous voir sur une tablette ou en vitrine, allez voir où vivent vos éditeurs et vos libraires. Tâtez de leur train de vie, de leur capital actif. Demandez-vous où ils prennent l'argent pour organiser toutes ces foires et pour se trouver toujours en vol entre le Québec et l'Europe. Achetez le trimestriel du *Conseil supérieur du livre* et regardez, de pied en cap, l'allure de vos éditeurs: Ils ont la gueule de tous les administrateurs du monde; cravatés, lunettés, vestonnés, grassouillets, sérieux, grisonnants ou chauves. On pourrait les confondre avec les P.D.G. de quelques multinationales. Un air de famille qui ne trompe pas. Ne pas se fier aux apparences? Voire!

Je conviens que le tableau puisse sembler paranoïaque (mais la paranoïa n'est-elle pas l'autre face de la schyzophrénie, la face agressive, fondamentale de l'idéalisme scripturaire? toute forme de coopératisme et de syndicalisme n'est-elle pas inévitablement paranoïaque?) pour certains et que tous les éditeurs ne sont pas tous de mauvais patrons, même si, en puissance, tous les patrons sont d'éventuels exploiteurs. Les quelques petits éditeurs "purs" qui restent appartiennent déjà à une *Anthologie de la martyrologie culturelle* qui reste à écrire. Mais il ne s'agit pas ici de faire la don quichottesque répartition du bon grain et de l'ivraie, ni le procès des éditeurs. Il faut comprendre que le pire ennemi de l'écrivain est l'écrivain lui-même. L'idéalisme rejoint ici le profil du colonisé. Colonialisme d'autant plus subtil qu'il se pare de justificatifs tels que l'Art et l'Éternité. Le prêtre ouvrier et l'ermite travaillent tous deux pour une même cause qui les transcende: de même l'écrivain engagé et l'esthète se serrent la main sans le savoir. Pascal, avec ses *Provinciales*, Voltaire, avec *L'affaire Callas* rejoignent Flaubert et Mallarmé dans le même panthéon de l'Histoire Culturelle.

Quoi qu'il en soit, l'écrivain en herbe apprend vite les règles du jeu. Il doit d'abord se trouver un emploi qui le fasse vivre pour, ensuite, écrire à temps perdu selon les canons de la noble vocation. Il doit, s'il a du style, du panache, éviter d'établir toute forme de corrélation entre le capital de son éditeur et son travail d'écrivain; comme dit Jacques Ferron: "quand un jeune homme se met en littérature, il est prêt à tout" sauf à gagner sa vie, contrairement à tous les autres travailleurs, avec ce qu'il produit. On voit aisément la conséquence d'une telle attitude, pour ne pas dire d'une telle altitude: l'écrivain devient, de par son art, un citoyen de seconde zone. De même les éditeurs qui, en capitalisant sur les subventions, font de la Culture une activité irresponsable en se condamnant à une immaturité en termes de compétition.

Il faut rappeler que l'éditeur fait travailler son capital de subventions non pas à partir des livres effectivement publiés mais, plutôt, à partir des manuscrits qui justifieront les dites subventions. Théoriquement, un manuscrit subventionné peut ne jamais aboutir à une impression. Plus! l'éditeur (de littérature) subventionné peut se payer le luxe d'imprimer un auteur dont il sait qu'il sera un invendu destiné au pilonnage sans que cela compromette le moins du monde sa stabilité économique *à condition* qu'il relance son capital dans la vraie édition, quitte à le faire sous le nom d'autres raisons sociales: l'édition scolaire, l'édition du livre pratique.

On pourra rétorquer que tout est pour le mieux dans un monde où l'on permet aux esthètes d'être publiés grâce aux recettes. Je trouve cette "permission" gênante. Encore faut-il voir que l'on confine les littérateurs à une forme de mandarinat où le goût de la médaille n'a d'égal que la tentation de l'irresponsabilité face au principe de réalité. Mais, au fond, qui veut être responsable, au Québec, et de sa plume et de sa vie? Peut-être faut-il laisser les littérateurs s'amuser comme des enfants pendant que les adultes de l'industrie du livre, délimitent accessoirement la superficie de leur carré de sable. Jamais "l'action restreinte" de la littérature n'aura-t-elle été si clairement définie, clôturée.

En dernière analyse, il faudrait connaître la place exacte que la société, que toute société, veut bien accorder au travail intellectuel. Nous avons sans doute les écrivains, les littérateurs que nous nous permettons, par le biais d'un étrange consensus collectif, d'avoir. Quand le Québec en aura assez de s'être bourré la face avec toutes ces Berthe, ces Juliette; quand le Québec en aura assez d'étouffer son immaturité politicoculturelle sous des tonnes de macramé; quand le Québec en aura assez de son éducastration permanente, peut-être aura-t-il le courage d'écouter le silence de ses écrivains...

Un aliéné heureux: l'écrivain

Il est remarquable que de tout temps l'écrivain ait réussi à se percevoir et à donner à voir à l'humanité l'image d'une pratique de littérature envisagée sous le mode de la vocation, pour ne pas dire d'un noble sacerdoce. Je veux bien croire que tout l'Occident a toujours baigné dans un onctueux spiritualisme qui, soit dit en passant, continue à gruger nos consciences "modernes" bien au fait de ce qu'il est convenu d'appeler le drame de l'humanisme athée, mais de là à constater ses séquelles chez ceux qui devraient avoir un minimum de conscience critique... c'est à pleurer. Et pourtant, quoi de plus cocasse que ce personnage qui est confiné dans un ghetto spécifiquement bourgeois, coupé de ses sources de revenus, victime consentante du travail d'édition qui se fait sur son dos, amateur de son "moi" au point de ne pas comprendre qui il est, et comment ce qu'il est contribue à faire de lui purement et simplement un travailleur dont le produit s'insère dans un processus inéluctablement économique!

Ce n'est pas le moindre mérite du livre de François Coupry que de nous faire saisir à quel point l'écrivain, qu'il le veuille ou non, est d'abord et avant tout un travailleur. Trop souvent, le livre n'est, dans la conscience de celui qui le fait, qu'un "auteur" qui se spectacularise à travers son "texte". Pourtant entre le moment où le génie créateur (souvent vécu sous le mode de la mégalomanie misérabiliste) cogite et celui où la critique officielle informe, le livre traverse un espace spécifique dans lequel le capital a une place prépondérante: l'imprimeur, l'éditeur, le distributeur, le libraire, le lecteur (ou client) ainsi que la Presse qui conditionne l'achat, se partagent les profits d'un produit qui n'aurait pu exister sans la présence de l'écrivain.

Dans un texte aux lueurs pamphlétaires, "tranchant et rapide, caricatural et léger, aigu et superficiel" comme le qualifie l'auteur, nous pouvons suivre l'itinéraire critique d'un écrivain qui "en a assez". D'abord les évidences: l'écrivain n'écrit que pour être publié; à travers le rituel de l'édition, il va aller chercher cette caution transpersonnelle qui le justifiera aux yeux d'une société. Ainsi, de divertissement intimiste qu'elle était, l'activité de l'écriture devient ce qu'elle veut toujours être sans vraiment se l'avouer: une mise en marché de l'ego.

Deuxième évidence qui recèle une contradiction: si l'écrivain n'écrit que pour être publié, d'autre part, il est absolument ignorant de la dimension économique de son "activité en chambre". Il ne se perçoit aucunement comme un travailleur, même s'il fait partie d'une équipe, la maison d'édition, qui assure son équilibre selon le modèle de toute entreprise capitaliste.

Cette conscience de travailleur, qui lui fait défaut et qui déjà, en 1972, avait été dénoncée par Pierre Guyota dans *Littérature interdite*, le confine à toute une série d'attitudes plus ou moins négatives qui vont de la névrose obsessionnelle face au papa-éditeur (tous les écrivains semblent avoir une dette vis-à-vis leur éditeur: dette morale puisque l'éditeur "lui a fait confiance", "a su voir en lui des qualités", "lui a permis d'être édité", etc.), en passant par la marginalité sociale, puisqu'il est "en pleine contradiction entre un travail qu'il n'assume pas, mais qui est son moteur réel, et un travail qu'il assume, qui est son désir et son plaisir mais qui ne le fait pas vivre", pour aboutir à cette espèce de sentiment d'irréalité qui le mène souvent à la schizophrénie élitiste qui pousse à la dépendance économique face à l'État ou face aux parents et amis qui font les frais de la noble vocation: nous ne sommes pas loin du Conseil des Arts...

Parasitisme doré, élitisme décadent, ne peuvent que mener à une impasse: selon François Coupry la solution s'articulerait au niveau du corporatisme. Pourtant, les chiffres qu'il avance ne nous permettent guère d'être optimistes: si les composantes classiques du prix de revient d'un livre, dans une maison orthodoxe-capitaliste donnent:

distribution:	52 à 53 %
fabrication:	18 à 20 %
droits d'auteur:	10 à 15 %
profit d'éditeur:	15 à 17 %

la solution corporatisme, pour sa part, donne:

distribution:	40 %
fabrication:	20 %
droits d'auteur:	20 %
profit corporatif:	20 %

Est-ce avec 5% de plus sur ses droits que l'écrivain corporatiste pourra éviter les contradictions inhérentes au statut de l'écriture dans nos sociétés capitalistes? Il est évident que la solution corporatiste permet un niveau d'implication plus grand dans le réel. L'écrivain ne devient plus cet "esthète" dépossédé de son pouvoir.

Il n'en demeure pas moins que la condition de l'écrivain est à la mesure du système de classes qui lui permet d'exister. Le corporatisme est une solution mitoyenne pour ceux qui veulent encore savourer les avantages du capitalisme. Ultime contradiction ou juste milieu doré? Pour ma part, j'incline à penser que la mort de l'écrivain bourgeois ne peut s'envisager qu'avec la mort de la bourgeoisie. C'est ce que sent confusément Coupry lorsqu'il déclare, à la fin de son pamphlet: "Où écrira-t-on dans un pays dirigé par le peuple? Sur les murs."

PROFILS

Éthier-Blais et le charme discret de l'égotisme bourgeois [1]

Il est de rigueur, pour les gens de ma génération, de mépriser Jean Éthier-Blais sans l'avoir jamais lu. Est-ce avouer, déjà, que cet ancien diplomate venu sur le tard à la littérature, fait partie de ces êtres qui "datent" et en qui on trouve l'indicible plaisir d'une époque révolue? Il faudra décider, un jour, si Jean Éthier-Blais est un écrivain qui nous concerne. Il faudra voir si cet ancien élève des Jésuites, féru de culture classique, exilé de l'intérieur en terre québécoise, a su assumer son époque avec ses ultimes contradictions.

Du dernier ouvrage d'Éthier-Blais, on pourrait gloser à l'infini, car c'en est un où les thèmes de méditation ne manquent pas. En fait, nous voici devant un bijou de bavardages de haute tenue. Cet essai, conçu selon la forme d'un dictionnaire, étale selon l'ordre alphabétique une série de sujets allant de l'amour à la lecture, du regard au zodiaque: au total vingt-six chapitres (comme les vingt-six lettres de l'alphabet) qui portent le titre on ne peut plus narcissique de *Dictionnaire de moi-même*.

Il faut avouer, dès à présent, que le tout apparaît comme une orchestration harmonieuse entre des inepties précieuses et des profondeurs qui touchent. Des phrases comme celles-ci étonnent: "J'aime les gants souples, printemps et automne, fourrés, l'hiver" et encore: "La montée, contre nous, des jaunes et des noirs. Que deviendra notre descendance?" D'autres, souvent ce sont confidences sur des souvenirs de jeunesse ou d'enfance, troublent ou émeuvent.

Mais, à l'intérieur de cette syntaxe pure et claire, on ne peut s'empêcher de se buter à l'idéologie ou, si l'on préfère, à l'éthique du personnage qu'est Éthier-Blais. Il y a chez lui, ou tout au moins chez le "je" qui articule ce dictionnaire assez spécial, un côté "vieille France" qui, souvent, passe mal la rampe. Éthier-Blais se déguiserait en Sacha Guitry qu'il ne se comporterait pas autrement. Malheureusement le climat de parodie manque ici: le sérieux du ton inquiète. On dirait, je sais que ce que je vais dire est, d'un certain point de vue terrible, on dirait, que Jean Éthier-Blais joue à être un grand écrivain bourgeois.

Tout chez lui se ramène à une culture bien limitée dans le temps: son espace culturel se situe entre l'époque classique et le tout début du XXe siècle. Au-delà de Montherlant, le monde moderne lui semble odieux, vain et bas. Le premier chapitre, qui s'intitule *Amour*, est typique de la méthode de l'auteur. Dans un texte qui fait à peine six pages, Éthier-Blais réussit à citer vingt-deux noms d'auteurs célèbres. Cet homme veut-il nous parler d'amour qu'il s'empresse de nous référer à Léautaud ou Montherlant. Alors qu'il se réchauffe sur le sujet de la *Solitude* et qu'il en vient presque à se confier, ne le voilà-t-il pas qu'il nous parle de Mme Récamier. Entre Saint-Simon et Racine, son coeur balance. Blanchot est illisible et "les dictionnaires se souviendront de Sartre, mais les vrais amateurs liront Chardonne ou Genevoix".

Pour tout dire, Éthier-Blais cultive l'aristocratisme décadent d'un des Esseintes. Cet homme est seul, au milieu de sa chambre, caressant une sculpture en jade, rêvant d'avoir vu Robert de Montesquiou à l'enterrement de Verlaine. Il cultive également une esthétique du juste milieu. Tout est poli chez lui, trop poli peut-être: ses souvenirs, tout comme son pessimisme, ne dépassent jamais le seuil des bonnes manières. Jean Éthier-Blais est un auteur bien domestiqué qui confine l'usage des lettres à une opération de pure mondanité. Il est sans doute homme de lettres comme on est homme de bonne compagnie.

Les passages les plus prenants demeurent ceux consacrés aux souvenirs d'enfance, d'adolescence, encadrés dans le double espace de l'Ontario et de Paris. Sans doute Jean Éthier-Blais ne peut-il pas vraiment se confier. Il n'y a qu'à lire, par exemple, *Rue Deschambault* de Gabrielle Roy pour constater à quel point l'auteur du *Dictionnaire de moi-même* se confine à une sécheresse un peu hautaine. Il en va de même du pessimisme de l'auteur face à la vie moderne. Un Cioran nous fait vraiment comprendre ce que peut être un moraliste, aujourd'hui. Pas Éthier-Blais.

L'image la plus troublante qui se dégage de la lecture du *Dictionnaire de moi-même* est celle d'un homme qui est littéralement dépassé par l'Histoire et la Modernité. Si l'auteur se demande, dans le chapitre intitulé *Quand?*, pourquoi il n'est pas né "dans cette France que j'ai tant aimée", il doit également se demander pourquoi il n'est pas né homme du dix-huitième siècle. Si au moins la vulgarité de notre époque avait été l'objet d'un nihilisme railleur et raffiné de la part de l'auteur! Si, au lieu de se confiner dans cette schizophrénie pleurnicharde d'un ordre révolu, il avait cherché à comprendre ce que peut signifier, depuis Nietzsche, la mort de Dieu!

Le plus grand talent de Jean Éthier-Blais sera peut-être d'avoir été un archéologue de l'âge classique à une époque définitivement condamnée à la dialectique du "progrès". Avec Hertel, il partage cette lourde responsabilité de témoigner de l'effrayante solitude des exilés.

Il faudra décider, un jour, si Jean Éthier-Blais est un écrivain qui nous concerne...

Mémoires mous de Mauriac et conversation avec Memmi

Il se peut que Claude Mauriac soit un écrivain maudit... et qu'il le mérite. Ce vieux "nouveau romancier" de soixante-deux ans qui avait surtout été, pour nous, l'écrivain de *l'Alittérature contemporaine*, vient de publier le troisième tome de ce que l'on pourrait appeler, faute de mieux, ses mémoires.

Ce dernier livre, *Et comme l'espérance est violente*, de près de six cents pages est consacré à de Gaulle, Malraux et Foucault. Réunissant les notes et les efforts d'un journal intime, tenu depuis près de quarante-cinq ans, Claude Mauriac se fait ici l'hagiographe naïf de quelques personnalités autour desquelles il fantasme. La méthode est simple et, théoriquement, efficace: juxtaposer des passages de son journal (pour les périodes comprises entre 1933 et 1975) afin de créer une mosaïque intimement liée au temps de l'auteur. En bon amant du cinéma, Mauriac envisage son projet sous le mode du montage filmique s'actualisant comme un reportage "d'actualités". Le livre se divise en deux grandes parties: *Malraux et de Gaulle*, où l'on voit la fascination de ces deux hommes l'un pour l'autre et *La goutte d'or*, où certains problèmes socio-politiques français font l'objet de "descentes dans la rue" de la part d'intellectuels dont Michel Foucault.

D'emblée, l'auteur se défend bien de vouloir faire oeuvre de littérature: il s'agit de témoigner. "Je ne pense pas. Je regarde et j'écoute". Ces séquences temporelles, comme celles d'un film, aurait dû acquérir leur vertu par la qualité et l'intelligence du montage. Or, si Mauriac se dispense de penser, il se dispense également de concerter significativement ses scories quotidiennes. Déjà avant la guerre, François Mauriac avait décelé toute la faiblesse d'un genre (le journal intime) qui se fait tout seul et il disait à propos du journal de son fils: "Ce n'est pas parce qu'un homme est intéressant que tout ce qu'il dit l'est..." Claude Mauriac a parié pour l'inverse et, je crois, s'est magistralement trompé.

Il y a de tout dans ces "confessions" quotidiennes et l'auteur avoue candidement: "je publie donc dans leur intégralité ces pages où le dérisoire et l'anecdotique se mêlent à l'important et au grave". Le dérisoire et l'anecdotique ce sont, entre autres choses, la description détaillée de ce que mange Malraux à l'une de leurs rencontres ou le sourire carnassier de Foucault ou la dent en or de Sartre ou encore la maladresse linguale du père qui communie. L'important et le grave ce sont, évidemment, le gaullisme du clan Mauriac, les crises de conscience du bourgeois éclairé qu'est l'auteur, le ronron bavard et nostalgique du fameux mai 68... ou, enfin, les manifestations effectuées avec Foucault.

Mauriac est bien conscient de la piètre qualité structurelle et thématique de son projet: il dit lui-même qu'il le construit "comme une abeille construit aveuglément, sûrement, follement ses rayons de miel". Malraux renchérit amèrement en disant: "Vous travaillez au poids!" Pour tout dire et contrairement à la comparaison de l'abeille, l'auteur est ici industrieux et bête comme une fourmi et même: c'est la thématique mutilatoire du ver de terre amoureux d'une étoile qui se déploie sans génie. Mauriac n'en revient pas de côtoyer des gens comme Malraux, Foucault ou de Gaulle (dont il fut le secrétaire particulier durant cinq ans). L'homme qui est derrière cette verrière désorganisée fait montre d'un à-plat-ventrisme qui décourage toute tentation diffamatoire à son endroit. Lors d'un rassemblement où se trouve Sartre à qui il a arraché un sourire, il déclare: "j'aurai au moins réussi cela dans ma vie, à la fin des fins: faire rire Sartre." Quand Malraux, légèrement ennuyé mais succombant à la vanité que provoque l'admirateur, pense tout haut devant l'auteur, celui-ci s'écrie: "Comme c'est beau, ce que vous venez de dire là... Et comme c'est heureux, grâce aux notes que vous me laissez prendre, que la formulation exacte de cette phrase soit conservée." Nous sommes tentés de lui dire, comme le fait sa femme avec une inconscience qui frôle le cynisme: "Tu en as une chance de rencontrer de tels hommes"... Y a-t-il un seul homme qui vaille la peine que l'on s'agenouille devant lui? Cela pourrait être cependant le postulat d'un certain humanisme. C'est bête à pleurer et la classique formule s'impose ici: Claude Mauriac, dans ce livre, n'a qu'un seul talent qui est celui d'avoir connu ceux qui en ont.

C'est en vain que les lecteurs pourraient chercher une quelconque synthèse personnelle ou une interprétation originale des événements auxquels a assisté, souvent malgré lui, le "fils de l'autre". Même les portraits sont bâclés et les entretiens mal rendus. Ainsi lorsque Foucault se met en peine d'expliquer à Mauriac comment et pourquoi on pourrait se passer d'un système pénitencier, l'auteur écrit: "j'ai oublié la suite"!

Claude Mauriac écrit pour l'Histoire en évitant tout effort d'interprétation, d'analyse ou de synthèse historique. Son écriture et son attitude intellectuelle sont littérales. Il se fabrique son propre album de photos et il le présente aux yeux de la postérité. Reste à savoir si le lecteur contemporain y trouve un quelconque plaisir de lecture. L'auteur se perd trop souvent dans une politique qui n'a plus aucun intérêt pour nous. L'arbitraire de son découpage décourage toute tentative de consommation esthétique. Son entreprise nous confine à une lecture insignifiante où les hasards objectifs sont privés de toute force évocatrice ou de toute valeur d'exemplarité.

Nous sommes loin des mémorialistes et chroniqueurs classiques et nous regrettons la phrase somptueuse de Saint-Simon, l'irrespect et le cynisme du cardinal de Retz, l'ironie de Tallemant des Réaux ou de Louis-Paul Courrier. Plus près de nous, la trilogie beauvoirienne ou *La bâtarde* de Violette Leduc nous font comprendre la nécessité, pour un auteur, de réassumer les événements de son vécu sous le mode de la création (je ne dis pas de la fiction). Il n'y a point d'oeuvre marquante sans une volonté de restructuration du réel. D'ailleurs les vertus d'un journal intime sont limitées et trompeuses et Charles du Bos, que Mauriac a dû fréquenter un jour ou l'autre, déclarait que pour lui le journal représentait "le suprême recours pour échapper au désespoir total en face de l'acte d'écrire"; Amiel, pour sa part, précise qu'il "n'est qu'une paresse occupée et un fantôme d'activité intellectuelle"...

Mauriac a voulu se dérober à sa responsabilité d'écrivain et d'intellectuel dans son *Et comme l'espérance est violente.* C'était voulu et c'était son droit; cependant ce choix est-il compatible avec un temps de lecture qui n'exclut pas l'ennui inévitable de cette phénoménologie de la quotidienneté?

Au fond, Claude Mauriac est peut-être plus surréaliste qu'il ne le laisse voir. À moins qu'il n'ait été qu'un discret secrétaire... de de Gaulle ou des événements. Hélas les surréalistes ne nous ont pas toujours donné des "cadavres exquis" et les secrétaires sont d'autant plus aimables qu'ils sont silencieux. Pourquoi Mauriac a-t-il décidé d'écrire en se taisant?

• • •

Il est indéniable que, tôt ou tard, les faiseurs *d'Histoire de la littérature,* auront à tenir compte d'un nouveau genre littéraire, directement issu de l'apport de l'oxyde magnétique: l'entretien. Plus précisément, l'usage du magnétophone appliqué à des conversations avec des hommes de lettres nous fait déboucher sur une consommation de l'écrit fondé sur le vol et, même, le viol d'une parole captée sur le vif. On voit aisément l'avantage de cette spontanéité dérobée, d'où l'intérêt de plus en plus grandissant, chez le public, pour des publications du type *Entretiens avec...*

Pierre Belfond avait eu la main heureuse avec sa collection qui regroupait les plus grands noms: Moravia, Borges. Duchamp, Burroughs, Ionesco, etc. Chez Gallimard, il y eut aussi un Borges et un Butor; maintenant il existe un Albert Memmi interviewé par Victor Malka. Rappelons également qu'aux éditions *l'Étincelle,* R. Davis avait fait paraître un entretien sur le même auteur, en 1975, à Montréal.

La terre intérieure, c'est ainsi que l'on a baptisé cette série d'entretiens, intéressera tous ceux qui ont fait d'Albert Memmi, surtout à cause de son *Portrait du colonisé* et, aussi, de son *Portrait d'un Juif,* le porte-parole des minorités oppressées. Il est donc possible que ce Memmi-là se retrouve sur les tablettes de quelques-unes de nos bibliothèques québécoises.

L'analyste rigoureux qui s'était dévoilé dans ces livres antérieurs se montre ici sous un jour bonhomme et, certes, plus serein. Est-ce l'amitié qui relie Malka à l'auteur qui donne au ton de la discussion cet air de détente? C'est possible.

C'est avant tout l'homme qui se dévoile devant son oeuvre que nous rencontrons: de la petite enfance tunisienne (dans le ghetto juif de La Hara) aux premières ferveurs du lycée français, du départ et de l'arrachement à la transplantation parisienne, de la désillusion de la philosophie sorbonnarde aux joies de la création littéraire (c'est l'époque de la rédaction de *La statue de sel)*, Albert Memmi trace avec clarté et minutie les quelques événements majeurs qui expliquent son itinéraire intellectuel. Il est toujours intéressant de voir comment s'articule une destinée: avec Malka et ses questions tout cela devient possible, sans agressivité, mais sans faiblesse aussi.

Memmi s'y révélera, quelquefois, vieux jeu pour ne pas dire réactionnaire grincheux: ainsi une tirade contre Lacan et les "structuralistes-linguistes" (Memmi semble ici confondre la méthode d'avec la discipline...) étonnera le lecteur pour peu qu'il s'identifie à une certaine avant-garde intellectuelle. Idem pour le passage sur les "jeunes qui ne veulent plus travailler". Dans l'ensemble, l'auteur énoncera des vérités, sur les temps modernes, que tout homme de bon goût, de réflexion ou de culture possède normalement. Contrairement à Claude Mauriac, Memmi n'est pas enclin à s'enliser dans un humanisme admiratif. Pour l'auteur "il n'existe pas de textes sacrés, sinon par la débilité des hommes", ou encore: "une vie d'homme, finalement, ce n'est pas très sérieux, ce n'est jamais grand-chose..."

Il serait bon que certaines *Têtes de pioche* méditent ce passage où l'auteur décortique et suggère la complexité du rapport dominant-dominé dans le couple: "la liaison entre hommes et femmes a un caractère probablement unique, spécifique encore une fois; il existe entre hommes et femmes un tel duo — duo qui existe dans toutes les relations d'oppression mais qui est ici original; un tel duo qu'il ne peut être ramené au duo colonisateur-colonisé ou Noir-Blanc; une relation où l'homme est à ce point engagé qu'il ne peut, à son tour, se passer de la femme, même après la fin de la domination de la femme…"

Somme toute, un livre où l'enseignement par la discussion et le dialogue nous fait saisir que la dialectique, retournant à ses origines socratiques, n'est pas un sport réservé uniquement aux philosophes patentés.

Hommage à Guy Delahaye

Le plagiat est la base de toutes les littératures
(Giraudoux)

Je transmets, et n'invente rien de nouveau.
(K'ong tseu)

Louer la diversité de l'oeuvre de Guy Delahaye, apprécier l'infatigable curiosité de son esprit, sera bientôt, nul n'en doute, un des lieux communs de la critique littéraire contemporaine; mais il convient de ne pas oublier que les lieux communs comportent toujours leur part de vérité. De même la référence à Aubert de Gaspé est inévitable et l'on n'a pas manqué de suggérer que cette référence découle de la ressemblance physique des deux grands écrivains et du fait, plus ou moins fortuit, qu'ils se partagent pour ainsi dire *L'influence d'un livre.* De Gaspé dit que son esprit était ouvert à tous les vents; Delahaye se passa de cette affirmation, puisqu'elle ne figure pas dans son *L'influence d'un livre,* mais les onze énormes volumes qu'il a laissés prouvent qu'il pouvait de plein droit la faire sienne. De Gaspé et notre Delahaye firent tous deux montre d'une santé et d'une robustesse qui sont les qualités les plus nécessaires à la création d'une oeuvre géniale. Vaillants laboureurs de l'art, leurs mains tiennent le mancheron et tracent le sillon!

Le pinceau, le burin, le crayon et l'appareil photographique ont multiplié l'effigie de Delahaye; nous qui aurions pu le connaître personnellement, nous faisons fi, peut-être injustement d'une si abondante iconographie, laquelle ne rend pas toujours bien l'autorité, la noblesse qu'irradiait le visage du maître comme une lumière constante, paisible et qui n'éblouit jamais.

En 1909, Guy Delahaye exerçait à Ottawa les fonctions de "Pataphysicien" intérimaire; c'est là qu'il publia son premier ouvrage, *Une des perdue, deux de trouvées*. L'édition, que se disputent aujourd'hui les bibliophiles, fut scrupuleusement corrigée par l'auteur; elle est cependant déparée par d'affreuses coquilles, car le typographe orangiste ignorait totalement la langue de Molière. Les amateurs de petite histoire apprécieront le rappel d'un épisode assez anodin, dont personne ne se souvient plus, et dont l'unique mérite est de prouver de façon évidente l'originalité presque scandaleuse de la conception stylistique delahayienne. À l'automne 1910, un critique de grand renom compara *Une de perdue, deux de trouvées* avec l'ouvrage portant le même titre de George de Boucherville, pour en arriver à la conclusion que Delahaye avait commis — *risum teneatis* — un plagiat. De larges extraits des deux oeuvres, publiés en colonnes parallèles, justifiaient, selon lui, une telle accusation. Celle-ci, du reste, tomba dans le vide; les lecteurs n'en tinrent aucun compte et Delahaye ne daigna même pas répondre. Le pamphlétaire, dont je veux oublier le nom, ne tarda pas à comprendre son erreur et fit voeu de perpétuel silence. Le manque de perspicacité de ce critique était par trop flagrant!

La période de 1911 à 1919 est celle d'une fécondité presque surhumaine. Apparaissent, coup sur coup: *Charles Guérin*, le roman pédagogique *Les fiancés de 1812*, *L'influence d'un livre*, *Le pèlerin de Sainte-Anne* (tome II), *Angéline de Montbrun*, *Jean Rivard*, *Maria Chapdelaine*, *Le chevalier de Mornac*, *Marie Calumet*, *Chroniques de Bustos Domecq* (traduction de Rosset) et *Simila similibus ou la guerre au Canada* (en latin). La mort le surprend en plein travail; selon le témoignage de ses proches, il avait en chantier une *Apocalypse*, ouvrage dans le genre biblique, dont il ne reste aucun brouillon et dont la lecture eut été des plus intéressantes.[1]

---

1. Il semble que Delahaye ait choisi, dans un élan qui le peint tout entier, la traduction de Mgr Camille Roy.

La méthodologie de Delahaye a fait si peu l'objet de monographies critiques et de thèses doctorales qu'il n'est pas superflu de la résumer. Qu'il nous suffise de l'esquisser à grands traits. La clé en a été donnée, pour la première fois, dans le traité de André-G. Bourassa, *Surréalisme et littérature québécoise* (L'étincelle, Montréal, 1977). Il s'agit, comme l'a déclaré de façon définitive André-G. Bourassa, citant Myriam Allan de Ford, d'une *amplification d'unités*. Avant et après notre Delahaye, l'unité littéraire que les auteurs reprenaient dans le fonds commun était le mot ou, tout au plus, la phrase complète. Les manuscrits byzantins et médiévaux élargissent à peine le champ esthétique en recopiant des vers entiers. À notre époque, un long fragment de l'*Odyssée* sert d'introduction à l'un des *Cantos* de Pound et on sait parfaitement que l'oeuvre de T.S. Eliot reproduit des vers de Goldsmith, de Baudelaire et de Verlaine. Delahaye, en 1909, alla bien plus loin. Il annexa, pour ainsi dire, un ouvrage entier, *Une de perdue, deux de trouvées*, de George de Boucherville.[2] Une confidence divulguée par Olivar Asselin nous révèle les délicats scrupules et l'implacable rigueur avec lesquels Delahaye mena toujours sa tâche ardue de création: il préférait *Bruges-la-Morte* de Rodenbach à *Une de perdue, deux de trouvées*, mais il ne s'estimait pas digne d'assimiler *Bruges;* il admettait par contre que le livre de Boucherville était dans ses possibilités du moment, car il se retrouvait pleinement dans ses pages. Delahaye lui octroya son nom et l'envoya à l'imprimeur sans ajouter ni retrancher une seule virgule, suivant une règle à laquelle il fut toujours fidèle. Nous nous trouvons devant l'événement littéraire le plus important de notre siècle: *Une de perdue, deux de trouvées* de Delahaye. Rien n'est plus éloigné, à coup sûr, du livre homonyme de Boucherville qui ne reproduisait aucune oeuvre antérieure. À partir de ce moment, Delahaye entreprend, chose que personne avant lui n'avait faite, de fouiller les profondeurs de son âme et de publier des livres qui l'expriment, sans surcharger l'impressionnant *corpus* bibliographique déjà existant, ni tomber dans la vanité facile d'écrire soi-même une

---

2. Nous n'avons pas trouvé, à ce jour, une application équivalente de méthode du *centon intégral* au domaine de la critique littéraire.

seule ligne. Immarcescible modestie de cet homme qui, devant le festin que lui proposent les bibliothèques orientales et occidentales, renonce à *L'appel de la race* et à *Né à Québec* et s'en tient, bon enfant, au *Pèlerin de Sainte-Anne* (tome II) !

L'évolution mentale de Delahaye n'a pas été entièrement expliquée; par exemple, personne ne comprend le passage mystérieux qui va du *Pèlerin de Sainte-Anne*, etc., à *Angéline de Montbrun*. Nous n'hésitons pas, quant à nous, à soutenir que cette trajectoire est normale, propre à un grand écrivain qui domine l'agitation romantique pour s'auréoler enfin de la noble sérénité des classiques.

Précisons que Delahaye, hors quelques réminiscences scolaires, ignorait les langues mortes. En 1918, avec une timidité qui nous émeut aujourd'hui, il publia les *Chroniques de Bustos Domecq*, d'après la traduction française de Rosset; un an après, conscient alors de sa maturité spirituelle, il mit sous presse *Simila similibus* en latin. Et quel latin! Celui de U. Barthe.

Pour certains critiques, publier une apocalypse après des textes de Barthe et de Paladion, correspond à une sorte de rejet des canons du classicisme; nous préférons voir dans cette ultime démarche, qu'il ne parvint pas à réaliser, un renouveau spirituel. En somme, le mystérieux et clair chemin qui va du paganisme à la foi.

Nul n'ignore que Delahaye dut subvenir, de sa propre bourse, aux frais de publication de ses livres et que ses tirages très limités ne dépassèrent jamais le chiffre de trois cents ou quatre cents exemplaires. Tous sont virtuellement épuisés et les lecteurs entre les mains desquels un heureux hasard aura mis *Angéline de Montbrun* aimeront, captivés par l'originalité du style, pouvoir déguster *Maria Chapdelaine*, probablement introuvable. C'est pourquoi nous applaudissons à l'initiative d'un groupe de députés des partis les plus opposés qui milite en faveur d'une édition officielle des oeuvres complètes du plus original et du plus éclectique de nos hommes de lettres.

Bibliographie

L'oeuvre de Guy Delahaye[3]

Une de perdue, deux de trouvées, chez l'Auteur, Ottawa, 1909.

Charles Guérin, l'Action sociale, Québec, 1911.

Les fiancés de 1812, Librairie Garneau, Québec, 1912.

L'influence d'un livre, l'Action nationale, Montréal, 1913.

Le pèlerin de Sainte-Anne, (t. II), Librairie de l'Action française, Montréal, 1914.

Angéline de Montbrun, Daoust et Tremblay, Montréal, 1916.

Jean Rivard, Beauchemin, Montréal, 1916.

Maria Chapdelaine, Imprimerie du "Devoir", Montréal, 1916.

Le chevalier de Mornac, Eusèbe Sénécal & Cie, Montréal, 1917

Marie Calumet, Paradis-Vincent, Montréal, 1917.

Chroniques de Bustos Domecq, Éditions Nadeau, Montréal, 1917.

Simila similibus, Déom, Montréal, 1919.

Études sur Guy Delahaye:

Bourassa, André-G., *Surréalisme et littérature québécoise*, L'Étincelle, Montréal, 1977.

Dansereau, Jeanne, "Ses amis s'appelaient Nelligan, Paul Morin et Osias (sic) Leduc", *La Presse*, 5 octobre 1968, p. 29, cc. 1-6.

Dugas, Marcel, *Apologies*, Paradis-Vincent, Montréal, 1919.

Dugas, Marcel, *Littérature canadienne, Aperçus*, Firmin-Didot, Paris, 1929.

Grandbois, Alain, "Guy Delahaye brûla trop tôt ce qu'il avait si tôt adoré", *Le Petit Journal*, 20 septembre 1964.

---

3. Le professeur Bourassa, dans son ouvrage *Surréalisme et littérature québécoise*, attribue à Guy Delahaye, avec une légèreté qui ne lui est pas coutumière, la paternité de deux oeuvrettes de poésie: *Les Phases* et *Mignonne, allons voir si la rose... est sans épines*. En réalité, c'est le docteur Guillaume Lahaise qui en est l'auteur. Lahaise connaissait intimement Delahaye et on comprend l'attirance naturelle de celui-ci, féru d'Umour, envers celui-là, puisqu'il avait pris connaissance de *Une de perdue, deux de trouvées*, un an avant qu'il ne publie ses *Phases*.

Lahaise a effectivement utilisé le pseudonyme de Guy Delahaye dans le but évident de taquiner celui-ci, qui se défendait bien de "tomber dans la vanité facile d'écrire soi-même une seule ligne", afin qu'on lui alloue deux oeuvres *personnelles*, détruisant en cela l'impact de son système esthétique essentiellement basé sur la duplication. Nous n'en voulons pour preuve que "l'invocation de Janus", figure du Double, utilisée par Lahaise dans le recueil de *Mignonne*: clin d'oeil entendu au Maître, faussement dédoublé par l'élève qui rit sous cape.

Delahaye s'amusa du canular, véritable miroir aux alouettes pour la critique, en se gardant bien de le démentir: on l'avait jadis accusé de plagiat; pourquoi pas, désormais, d'originalité? Ce n'est que plusieurs années après la mort de Guy Delahaye que le docteur Guillaume Lahaise, qui fut le psychiatre de Nelligan, divulgua la machination à Jacques Ferron dans une lettre restée inédite...

THÉORIE LITTÉRAIRE

Raymond Montpetit machine-t-il?

Il se publie ici trop de plaquettes mégalomaniaques, trop de verbiages ronflants, trop *d'oeuvres complètes* avortées dans l'oeuf, trop *d'écritures intervenantes*... bref, trop peu d'oeuvres où l'on retrouve l'esprit d'analyse, le sens de la synthèse ainsi que l'épiphanie de la véritable créativité, pour que l'on passe sous silence l'excellent travail de Raymond Montpetit qui vient de publier un essai: *Comment parler de la littérature?*

Pour l'auteur, il s'agit de "noter l'inscription de la critique dans le cadre général de l'herméneutique". Son ouvrage se divise en trois grandes parties qui se partagent le terrain sur le mode de l'intervention méticuleuse et bien documentée: 1- *Interprétation*, 2- *Formalisation*, 3- *Machination*.

La première partie trace, en quelque sorte, le profil de l'activité herméneutique dans son déroulement et son évolution en partant de Schleiermacher (1829) pour aboutir autour de gens comme Poulet, Doubrovsky, Starobinski, Richard et Ricoeur. Montpetit nous fait saisir clairement que le lieu spécifique de l'interprétation des textes (herméneutique) est celui de la parole. D'une première phase "classique" où Schleiermacher et Dilthey voient dans l'acte d'interprétation une façon de reconstituer l'intériorité du texte en fonction d'un sujet vécu sur le mode de l'empathie, on passe à une seconde phase, avec Ricoeur, où l'extériorité des signes (linguistiques) nous ramène au champ symbolique.

L'interprète doit ici déchiffrer le double sens du texte où Rêve, Prophétie et Poème ont une place prépondérante.

On comprend, avec et grâce à Montpetit, que le procès critique opère ici au niveau d'une profondeur à atteindre: pour Dilthey, par exemple, le texte n'est pas opaque et il doit nécessairement mener à la connaissance du sujet qui l'a produit. Le texte n'est que le lieu de passage "d'une entité spirituelle". Ricoeur, pour sa part, confine l'herméneutique au décryptage symbolique, faisant du texte un phénomène qui doit être transcendé vers un noumène révélateur. Ici on pense à Freud à qui, d'ailleurs, Ricoeur a emprunté le concept de surdétermination. L'objet littéraire n'est pas uniquement un objet au sens scientifique du terme. Le texte est un objet-sujet qui invite le critique à une relation intersubjective. L'épistémologie a donc, ici, partie liée avec les "mythes de la profondeur" qui seront dénoncés plus tard par Robbe-Grillet.

Poulet poussera jusqu'à ses limites les données "spiritualistes" de Ricoeur: pour lui la critique ou l'herméneutique impliquera la "coïncidence de deux consciences". L'oeuvre est sujet avant que d'être texte: la critique mènera celui qui la pratique vers le cogito de l'auteur. Encore une fois, on voit que le texte est un moyen, une "voie royale" qui nous mène directement sur une entité spirituelle. Mauron, que Montpetit oublie quelque peu, se ferait l'herméneute du cogito inconscient. Mauron, c'est un Poulet de l'inconscient. À ce propos, on voit que l'activité herméneutique d'un Gérard Bessette se confine à l'illusion néo-positiviste d'un noyau à découvrir. Il faut voir, qu'à partir de Barthes, l'oeuvre littéraire n'est plus assimilable à un fruit dont on aurait, à force de finesse, à découvrir le noyau pour des lecteurs inattentifs: elle serait plutôt assimilable à "un feuilleté sans noyau" susceptible de découpages en surface. Montpetit montre bien que des auteurs comme Richard, Doubrovsky, Starobinski, Rousset et Spitzer se butent à un écueil inévitable: le sujet d'un texte, c'est d'abord un sujet textuel.

C'est avec Barthes et la deuxième partie du livre que les enjeux de l'herméneutique traditionnelle vont être dévoilés. D'un certain point de vue, on pourrait voir dans *Comment parler de la littérature* une paraphrase et une extension intelligentes de ce texte capital de Barthes: *L'imagination du signe.* Montpetit montre bien, à la suite de Barthes, que l'interprétation symbolique ("en profondeur") avec l'apparition de la modernité, ne suffit plus à combler l'espace littéraire. Aux textes de jeunesse de Barthes où celui-ci exploitait encore la relation verticale de la profondeur (*Michelet par lui-même*, *Racine*), succèdent des prises de positions théoriques et pratiques qui affirment que le critique ne peut plus “traduire” une oeuvre à partir de ses symboles. C’est l’apparition de la fameuse “conscience paradigmatique” et du structuralisme. C’est aussi l’apparition de l’impasse barthésienne: abandon de l’interprétation symbolique, apparition de la nécessité de découper le texte en surface. Ce découpage paradigmatique mène cependant à la nécessité d’une science des “conditions de contenu”. Cette science, cette “formalisation” de l’oeuvre, “clôture” le texte et limite sa polysémie. Or Barthes, dans *S/Z* notamment, refuse cette “clôture”. Il se rallie donc au concept d’intertextualité de Kristeva. Le “Texte intertextuel” subvertit toute théorie des genres, il élabore son champ au niveau du signifiant, d’où l’impossibilité de lui “coller” un sens. Apparaît, pour Barthes, la vanité de tout métalangage, voire, de toute forme d’herméneutique. Si le “Texte intertextuel” se “retourne en errance hystérique”, la formalisation, par contre, cultivant le dogmatisme, aboutit à “un délire étroitement paranoïaque”... D’où le scepticisme de la signification-à-tout-prix dans *Alors la Chine?*

Face à cette impasse herméneutique, Todorov parie pour la formalisation et l’optimisme taxonomique. Contrairement à l’approche symbolique de la profondeur, l’herméneutique formaliste ne veut pas se confondre avec l’oeuvre ni avec le cogito (conscient ou inconscient) de celui qui la produit. Rappelant, à point nommé, l’apport de Jackobson et des formalistes russes, Montpetit montre que la scientificité est une condition première de cette critique. Il s’agit moins de connaître telle ou telle oeuvre que de voir à instaurer les lois qui permettent l’élaboration des oeuvres. Todorov inaugure donc une poétique qui est à elle-même son propre objet: “elle ne fait que passer par les oeuvres pour se constituer elle-même comme discours théorique; bref, elle est sa propre fin.”

Raymond Montpetit termine son essai avec une troisième partie qui semble se poser comme une synthèse entre l’interprétation et la formalisation. Le concept-clé de ce chapitre est celui du texte conçu en tant que machine. L’auteur, face à deux données (le *Quatuor d'Alexandrie* de Durell et *Othello* de Shakespeare) se pose les questions suivantes: comment fonctionne un texte? quelle est la machination qui donne lieu à un texte? autrement dit, c'est la mécanique du récit ainsi que ses rouages de fonctionnement qui intéressent l'auteur. Malgré que Montpetit ne constate aucune "loi de la littéralité" (chère à Todorov) dans ses deux approches, il apparaît trop clairement que l'étude de Todorov sur *les Liaisons dangereuses* a perverti l'originalité des interprétations fournies. Si le "lieu du récit, c'est la nécessité même du récit" dans *Othello;* si "l'écriture constitue elle-même l'action la plus souvent décrite" dans le *Quatuor d'Alexandrie,* il n'en reste pas moins que ces remarques "machiniques" relèvent d'un schème interprétatif cher à Todorov.

D'autre part, je ne suis pas sûr que ce concept opératoire de texte-machine soit tout à fait révélateur. Il aurait fallu dégager clairement et développer ce concept en regard de notions telles que structure, fonction et séquence. S'il faut voir "comment ça marche", il faut également voir que tout texte marche indépendamment de la machination de l'herméneute. Il aurait fallu, surtout, délimiter la relation exacte qu'il peut y avoir entre le texte-machine et l'intertextualité. De par sa façon de surplomber et de globaliser l'évolution de l'herméneutique moderne, depuis ses origines Kantiennes, je soupçonne Montpetit de pencher quelque peu vers la formalisation en matière de critique, malgré qu'il se défende bien d'avoir dépisté des lois de la littéralité... C'est sans doute une option synchronique qui n'a pas grand-chose à voir avec le choix personnel de l'auteur.

Quoi qu'il en soit, Raymond Montpetit a fait ici un travail intellectuel fouillé et qui a l'avantage de nous faire saisir l'histoire d'un concept en termes de déroulement dialectique et didactique.

Le récit spéculaire
Essai sur la mise en abyme

D'abord l'étymologie: *speculum*, terme médical, 1534. Jusqu'au milieu du XIXe siècle, *speculum*, mot latin signifiant "miroir": speculum oris, ani, uteri, oculi; "miroir" de la bouche, de l'anus, de l'utérus, de l'oeil. Retenons l'idée d'exploration en rapport avec le sombre. En graphologie on dit de l'écriture spéculaire qu'elle est typique de certaines maladies mentales, où les lettres et les mots se succèdent de droite à gauche, comme si l'écriture normale était réfléchie dans un miroir. Le récit spéculaire serait-il une perversion de l'écriture "normale"? Curiosité malsaine qui mène à l'hallucination spéculaire où le sujet qui en est atteint aperçoit sa propre image "comme dans un miroir". Narcisse aurait-il troqué son étang contre un miroir? Glace, inversion, anormalité (speculum ani), narcissisme: pourquoi s'étonner de rencontrer André Gide dans cette série associative? Gide inversé, inverti fasciné par la réflexion de l'écriture ("dans la double glace du secrétaire, au-dessus de la tablette où j'écrivais, je me voyais écrire; entre chaque phrase je me regardais"), métaphore de "l'autre passion", inavouable in extremis.

On se souvient de la formule: "J'aime assez qu'en une oeuvre d'art (écrit Gide en 1893) on retrouve ainsi transposé, à l'échelle des personnages, le sujet même de l'oeuvre". S'autorisant de l'art héraldique, Gide lance l'idée de mise "en abyme" au niveau de l'écriture. L'oeuvre dans l'oeuvre répond au souci d'une esthétique qui nie la réalité en tant que pièce à conviction. La fascination initiale, évidemment, vient de l'observation de quelques grandes oeuvres picturales où le miroir joue le rôle de révélateur à l'intérieur d'un tableau. Ce n'est pas un hasard si Gide se souvient du *Mariage Arnolfini* de Van Eyck, du *Diptyque* de Martin Van Newenhoren, du *Banquier et sa femme* de Quentin Matzys et surtout des *Ménimes* de Vélasquez. On pense alors aux commentaires de Lacan au sujet de l'expérience du dédoublement et du miroir.

Le récit spéculaire de Lucien Dällenbach a le mérite de nous rappeler les origines gidiennes de cette "mise en abyme" qui a fait couler tant d'encre. Dans la première partie de son essai, *Variations sur un concept,* l'auteur procède à une analyse minutieuse de la fameuse page de journal où Gide livre en vrac ses intuitions de base sur le concept. La mise en abyme gidienne "revient à attribuer à un personnage du récit l'activité même du narrateur qui le prend en charge". Dällenbach rappelle que l'expression n'est pas de Gide mais de Claude-Edmonde Magny qui, dans son *Histoire du roman français depuis 1918,* révélait pour la première fois au public francophone l'extrait du journal. L'auteur s'amuse à dépister les "dérapages analogiques" que provoquèrent les interprétations de Magny et, aussi, celles de P. Lafille: l'idée d'infini, infini mathématique, qui s'incarne dans les poupées gigognes (matriochkas ukrainiennes) qui s'engendrent l'une l'autre, les pyramides mexicaines, les affiches, couvercles et étiquettes dont les motifs se reproduisent sans fin.

C'est avec la deuxième partie, *Pour une typologie du récit spéculaire,* que l'auteur amorce sa véritable démarche qui pourrait être une introduction à une ontologie formelle du procédé de mise en abyme. S'autorisant des trois paliers jakobsonniens, l'énoncé, l'énonciation et le code, l'auteur s'ingénie à tracer le profil essentiellement formel du concept gidien non sans un ton désinvolte et occasionnellement maniéré: les termes de métadiégétique, narratologue, paramètre de sanction paradigmatique, paramètre d'obédience syntagmatique, lecture isotope (qui est emprunté à Greimas) et d'embrayeurs d'isotopie nous sont lancés à la figure comme les éclats d'un spectacle grandiose mais étonnamment imprécis quant à la rigueur des démonstrations. L'auteur nous crache "en passant", comme Breton sur le roman, cette boutade: "sur l'ironie romantique, voir W. Benjamin, *Der Beguff der Kunstkritik in der deutschen Romantik*"... Il faut donc que le lecteur, en plus de connaître sur le bout de ses doigts des gens comme Chomsky, Jakobson,

Foucault, Derrida, Greimas, Kristeva, Barthes, Jean-Paul, Ricardou, Todorov, Genette et quelques autres, connaisse l'allemand afin de lire les auteurs dans le texte...

Après beaucoup d'efforts académiques et de citations cautionnantes, Dällenbach dégage cinq types de mise en abyme: fictionnelle, énonciative, textuelle, métatextuelle, et transcendantale.

Dans *Perspectives diachroniques*, l'auteur tentera de retrouver, à travers les textes majeurs du Nouveau Roman et du nouveau Nouveau Roman, l'application de ses types. On trouvera de courtes analyses sur *L'emploi du temps* et *Où* de Michel Butor, sur *La jalousie* et *Projet pour une révolution à New York* de Robbe-Grillet, sur *L'herbe* et *Triptyque* de Claude Simon ainsi que sur *Les lieux-dits* de Ricardou. Pour l'auteur, "en multipliant les auto-inclusions et les inclusions-exclusions à l'intérieur d'une suite de dépendances emboîtées, le nouveau Nouveau Roman (...) tourne en dérision l'idéologie réaliste et se coupe du monde en se bouclant plusieurs fois sur lui-même." Comme quoi le symbolisme fin-de-siècle a su se réincarner.

Somme toute, l'essai de Lucien Dällenbach est à la fois indispensable et insatisfaisant. Indispensable parce que c'est le premier effort de synthèse systématique sur le sujet, mais insatisfaisant quant à l'efficacité d'analyse et à la qualité d'écriture. Aux côtés de Ricardou et de Genette, Dällenbach ne demeure qu'un universitaire empressé d'apporter sa publication à son chef de département.

Il y aurait eu de nettes corrélations à faire entre le thème de la réflexion "abymale" et les implications esthétiques qu'elle suppose au niveau de l'ironie, du double, de la parole infinie, voire du borgérisme. Le plus simple, comme toujours, a été manqué: la mise en abyme n'est-elle pas d'abord et avant tout une métaphorisation de la perspective, avec son inévitable profondeur de champ, au niveau de la littérature? La page blanche, dès lors, n'est plus bidimensionnelle mais plutôt tridimensionnelle avec son point de fuite inquiétant et vertigineux.

Il aura manqué à Lucien Dällenbach un peu de ce vertige et de cette inquiétude qui l'eussent sorti de son académisme typologique. À défaut de virtuosité, l'auteur nous aura donné de la bonne documentation. C'est déjà beaucoup.

Un Bachelard éclairant

Les oeuvres de rigueur et d'analyse sont choses rares, ici, aussi faut-il saluer l'entreprise de Jean-Pierre Roy qui nous offre un texte particulièrement fouillé avec son *Bachelard ou le concept contre l'image.*

Dès *l'avant-propos*, l'auteur montre une griffe polémique qui risque d'effaroucher les bachelardiens inconditionnels en précisant que “le domaine littéraire est une terre piégée par l'idéologie, où prolifèrent encore les faux problèmes engendrés par le refus de la science”. Toutefois, ce ton qui, précisément, rappelle un certain terrorisme idéologique (celui-là même qu'on trouve chez un Laflèche) sera vite abandonné pour faire place à une analyse serrée de la pensée et de l'évolution de Bachelard.

Dans une longue *Introduction* qui fait, à peu de pages près, le tiers de son livre, Jean-Pierre Roy situe la dualité bachelardienne de la science et de la poésie. Pour Bachelard, il y a dichotomie entre le concept et l'imagination. Essentiellement préoccupé par une épistémologie rationaliste, Bachelard s'attardera d'abord à l'étude de l'alchimie qui lui révélera la présence de “mauvais concepts”. Or, un mauvais concept, en termes de science, devient aisément une bonne image au niveau de la poésie. C'est en voulant purifier, en particulier par la pratique d'une psychanalyse de la connaissance, que Bachelard en arrivera à la poésie. L'imaginaire est essentiellement, à l'origine, un obstacle épistémologique. La littérature sera même qualifiée de “culture à pauvre structure”. Roy signale que Bachelard ne s'intéresse à l'image poétique que parce qu'elle est un empêchement à la connaissance scientifique. Ainsi, concept et image s'opposeront toujours chez Bachelard;

le premier relevant de l'ordre syntagmatique, la seconde fonctionnant selon l'ordre paradigmatique.

Dans un chapitre intitulé *Production des images*, Roy interrogera les textes majeurs de Bachelard afin de faire ressortir la notion d'image défendue par celui-ci. L'imagination ne doit rien devoir à la connaissance et elle fonctionne selon son ordre propre qui est en dehors de la perception réaliste et du souci de représentativité. Pour Bachelard, la littérature c'est la poésie, la poésie c'est l'imagination donc l'image et l'image est fondamentalement littérature. On voit le cercle vicieux qui dénote une première faille dans la poétique de Bachelard.

Si Bachelard s'avère structuraliste, avant la lettre, en épistémologie, il demeure essentiellement un symboliste en poétique. Roy, s'alimentant aux travaux de Genette, Barthes, Kristeva et Todorov, fera ressortir la grande intuition de la nouvelle critique sur l'imagination du signe. Même si Bachelard refuse l'approche psychanalytique (même s'il lui doit beaucoup) qu'il trouve par trop simpliste, réductrice et outrageusement vautrée dans une conception organique de la libido, il n'en gardera pas moins l'axe central qui est celui de la profondeur, donc du sens. En cela, on le retrouve dans la famille des Mauron, Ricoeur, Poulet ou Richard: de cette famille qui rate la spécificité du langage littéraire en traversant le texte pour mieux s'agripper au signifié.

Jean-Pierre Roy insiste, avec raison, sur le parti pris paradigmatique de Bachelard pour mieux dégager les lacunes d'une méthode symbolico-archétypale appliquée à l'objet littéraire. De fait, la taxonomie bachelardienne, directement héritée d'Aristote, avec ses symboles élémentaristes, est hautement fragile sur le plan méthodologique.

De la *Paradigmatique des images* Roy passera à la *Syntagmatique* pour mieux étayer le bien-fondé de sa grille de lecture calquée sur les quatre fonctions (émetteur, code, message, récepteur) de l'information. Bachelard, férocement humaniste, détotalise l'oeuvre en isolant les images de celle-ci au détriment de la composition. Cette attitude se saisit très bien si l'on se dit que Bachelard opte pour le rêve éveillé et nie par sa pratique toute possibilité de métalangage sur l'oeuvre. Il faut vivre les images et comprendre les concepts.

Bachelard se révèle être surtout un lecteur pour qui l'identification (rencontre de deux consciences) et le prolongement passent avant le commentaire critique. Roy, avec textes à l'appui, poussera jusqu'au bout les acquis méthodologiques de Bachelard et montrera que celui-ci, même avec le secours et, croit-il, avec le dépassement que constitue une phénoménologie des images, opère avec une poétique humaine, profonde, tragique, touchante, chaleureuse mais inopérante en termes de savoir. Il faut mettre en question, dira l'auteur, toute idéologie qui vise à soustraire au savoir la production littéraire.

L'auteur conclut son travail en insistant sur la nécessité d'une approche scientifique face au texte. Il remarque qu'une poétique nouvelle pourrait être refaite à partir de l'épistémologie bachelardienne.

Amateur génial de belles images littéraires, paraphraseur intelligent, Bachelard aura sans doute été le dernier des lecteurs romantiques à vouloir préserver cette naïveté devant l'oeuvre qui s'interdit tout commentaire intellectualiste donc conceptuel.

Il faut souligner, en terminant, cette trop courte recension, l'honnêteté intellectuelle que manifeste Roy à l'endroit de Bachelard, compte tenu de sa conception de la littérature. Ici point de réduction abusive, nulle caricature railleuse typique de ces esprits qui ne partagent pas le système de ceux qu'ils attaquent. Or, visiblement, Roy est aux antipodes de Bachelard quant à l'usage du texte littéraire. L'attitude de Jean-Pierre Roy nous convainc qu'on peut comprendre et analyser “l'autre” sans pour autant le ridiculiser. L'analyse l'emporte sur la polémique et c'est tout à l'honneur de l'auteur qui sait être bachelardien tout en étant un sémioticien en puissance.

Le *Bachelard* de Roy constitue une belle pièce au dossier de l'histoire de l'herméneutique littéraire moderne.

La subversion au service du prolétariat?

Il existe deux types de livres qu'on ne lit qu'avec une main: les "sérieux" et les "pas sérieux du tout". *L'étrangeté du texte* de Claude Lévesque fait partie de la première catégorie. En effet, ces "essais sur Nietzsche, Freud, Blanchot et Derrida", commandent une attention soutenue, avec crayon en main, ne serait-ce qu'au niveau de l'importance culturelle que possèdent les auteurs ici étudiés. On ne peut sortir que déficitaires d'une telle lecture et pour cause: qui peut se vanter d'avoir lu et compris Nietzsche (ce qui pourrait toujours s'expliquer), Blanchot, Derrida?

Claude Lévesque a sans doute lu et compris ces auteurs si l'on en juge par l'imposante bibliographie citée tout au long de ces essais. Il a aussi, un peu machiavéliquement, compris l'intérêt qu'il y avait à se faire l'exégète de ces bonzes de la "modernité". Son premier texte, intitulé *Le puits d'éternité*, est consacré à Nietzsche et à son expérience mystique de Sils Maria. Au coeur de la modernité, Nietzsche est un scandale pour la philosophie dite "classique". Lévesque éclaire habilement des textes, dont le quatrième livre du Zarathoustra, afin d'émailler la méthode de morcellement du plus poète des philosophes. À travers l'expérience de l'éternel retour, il faut comprendre l'étrange destin de Nietzsche et son refus de systématisation; le puits d'éternité, c'est d'abord la brisure du cercle vicieux qui mène au centre de ce qui est à jamais hors langage. Expérience de l'extériorité, de l'en-dehors, mystique de la décentration des valeurs.

D'instinct, Nicole Brossard nous eut parlé de "centre blanc". Pour sa part, Lévesque nous cantonne dans des expressions raréfiantes: l'indicible, le non-dit, la dé-limitation, la déclôture, etc. Avec *L'étrangeté du texte* (qui donne son nom au livre et qui fut imprimé sous le titre de *Le temps hors temps de l'écriture* dans le n° 4/5 de la revue *Brèches*) nous pénétrons au coeur de l'expérience de Blanchot avec ses thèmes de la discontinuité, de l'expérience du Neutre, de l'anonymat et de la Mort. Lévesque nous laisse entendre qu'avec l'étrangeté, l'esprit perd contact avec une certaine forme de certitude logocentrique. Blanchot nous situe, lui aussi, au coeur du vide, de l'intemporel, du non-spatial. Cette étrangeté fondamentale c'est, selon Lévesque (ou Blanchot?), la "transgression de la limite". Ainsi, l'écriture blanchotienne nous situe dans un espace littéraire qui exige "l'abandon et la transgression de tout ce qui garantit notre culture pour aller au-delà, c'est-à-dire au-dehors, jusqu'à la limite".

Avec Derrida, dans un texte qui s'intitule *L'économie générale de la lecture*, Lévesque nous entraîne au coeur, me semble-t-il, de son livre: la mort du logocentrisme. Cette cassure épistémologique, pour employer des termes consacrés, qui, on l'avait deviné est née avec l'érosion nietzschéenne, entraîne une perception du texte et de la lecture qui débloque sur une ouverture totale. D'où la "consumation destructrice du sens", la "dilapidation du sens". La philosophie elle-même devient un genre littéraire "ouvert". Le texte est d'abord et avant tout pré-texte, con-texte, sur-texte. Il faut déconstruire la culture, l'ouvrir et y déceler, en quelque sorte, l'épiphanie de l'insignifiance. Le texte n'est plus univoque et, ajoute Lévesque, "il faut conjurer toute idée de lecture objective". La subversion trouve donc, tel quel, (si je puis me permettre ce jeu de mots) ses maîtres et reconnaît ses pairs en Mallarmé, Artaud, Bataille, Sollers, etc.

L'essai de Lévesque se termine par deux courts textes: *L'inscription du dialogue* (qui avait paru dans le numéro spécial *Dialogue*, hiver 76, vol. 3, n° 1.) qui est une pâle approche du livre de Blanchot: *L'attente, l'oubli* dans lequel on exploite les idées de parole plurielle et d'écriture disséminante. Le dernier texte, *La démesure de la philosophie*, exploite le thème un peu éculé des rôles respectifs de la philosophie et du philosophe dans notre société contemporaine. Lévesque, enfin libéré de sa sage paraphrase et de sa patiente exégèse des auteurs que l'on sait, se “lance” dans un prêchi-prêcha qui n’est pas sans rappeler la précaution oratoire inévitable des profs de philo à l’époque dévolue du fameux “cours classique”. Il souligne la nécessité, pour la philosophie, d’échapper à la “récupération” culturelle. Le philosophe doit “déranger” par sa violence disséminante, tout en évitant de succomber à la “tentation de l’action directe” (sic) et pourtant tout en se sentant “solidaire des revendications du prolétariat comme destinataire ultime... de son travail; il doit se faire le porte-voix de cette classe silencieuse”, il doit (je cite encore car c’est trop beau) “philosopher au marteau, sonder les idoles, les fétiches, les idéologies en cours pour en faire résonner la vacuité et le toc” enfin, la philosophie doit sortir du “discours expressif et linéaire” pour devenir “texte ou écriture”...

Était-ce bien la peine de s’essouffler durant 230 pages pour en arriver là? Je ne sais pas si l’entreprise de Lévesque est originale; Blanchot et Derrida se défendent beaucoup mieux sans l’aide d’un exégète québécois. Il est d’autant plus cocasse de constater la conclusion qu’amène Lévesque que durant 230 pages il exploite lui-même ce fameux “discours expressif et linéaire” tout en se complaisant sur des idoles qui commencent à nous faire sourire: Mallarmé (cette vieille catin hermétique qui cautionne, à l’heure actuelle au Québec, l’à-plat-ventrisme informel de gens qui ne savent pas écrire et qui, en cela, se croient élus pour la gauche littéraire), Bataille, Blanchot, Derrida, Sollers et cie. La go-gauche parisienne s’enlise dans sa subversion et s’institutionnalise au point de devenir aussi somnifère que le bergsonisme au début du siècle.

Ou bien Claude Lévesque est un incurable naïf, ou bien c’est un pince-sans-rire qui prend le public pour une masse inculte. Pendant près de 230 pages, il nous explique avec la tenue officielle de tout sorbonnard de bonne allégeance comment le langage doit se dégager du signifié, se déprendre du logocentrisme et de l’objectivité! On sent ici le travail un peu lourd de l’intellectuel bourgeois fort en thèmes, l’application du postulant à la thèse qui a bien assimilé tous les tics formels du discours discursif, linéaire, voire didactique. On ne peut que s’émerveiller, dans un climat si “transgressif”, de l’étonnante orthodoxie de l'articulation formelle du propos de Lévesque: à point nommé viennent les citations judicieusement sélectionnées, les notes en bas de pages qui défient l'oeil inquisiteur, les commentaires avisés ainsi que les critiques face au maître cité. L'introduction, le corps du sujet et la conclusion se partagent de façon bien aristotélicienne l'espace pourtant "plurivoque" de la page blanche. Tout y est, dans le plus pur style pompier-thésard, même la petite phrase obscure, donc intelligente, qui fonde le ton apprenti-philosophe: "Le tragique ouvre donc, étrangement, au-delà de l'espace et du temps, sur l'irruption infinie de l'espace dans le temps et du temps dans l'espace, sur le devenir espace du temps et le devenir temps de l'espace..."

Sans doute que Lévesque trouvera preneur chez nos quelques têtes molles de la "transgression" et de la "pratique textuelle". Pour ma part, je suis enclin à penser que l'attitude de Lévesque, si honnête soit-elle (si laborieuse en tous cas) relève plus d'une attitude romantico-obscurantiste face à la problématique du texte que d'une attitude plus apte à mesurer la textualité en termes purement "objectifs". Il est d'ailleurs significatif que la démarche de Lévesque écarte délibérément une approche plus scientifique du texte dans l'optique des travaux de la linguistique (avec Benvéniste, Chomsky, Korzybski)[2] et de la stylistique (Spitzer) ou des sciences de la communication (Moles). Une science de la littérature est-elle donc si inquiétante? Et s'il y a étrangeté du texte, n'est-ce pas dans l'exacte mesure où l'approche philosophique confine à un piétinement épistémologique faute d'instrument de précision? Je sais qu'il est criminel d'introduire la scientificité en littérature... Je sais, en outre, que l'approche de Blanchot, en particulier, ne manque pas de donner à la réflexion littéraire un champ connotatif poétique imposant, mais qu'elle confine rapidement au ronron que la métaphysique a toujours connu.

Il est donc clair que l'entreprise de Lévesque est plus spiritualiste et platonicienne qu'elle ne le donne à voir. Plus idéaliste aussi. Son dernier texte témoigne largement en ce sens: il faut ne pas avoir compris l'expérience de Nizan dans toute son ampleur pour dire de telles énormités. Il ne faut pas oublier que les chiens de garde se sont, eux aussi, toujours confinés à "l'action restreinte".

Tout reste à faire, avec ou sans la complicité du sens.

Portrait de Laflèche en jeune théoricien pressé

Je pourrais commencer ma recension du dernier ouvrage du professeur Laflèche, *Petit manuel des études littéraires* en disant de son auteur qu'il est un Hjelmslevien Hegelo-Marxiste. Tout dépendant du point de vue où l'on se place, cela pourrait être plaisant ou désastreux selon qu'on accepte le principe d'une scientificité certaine au niveau des études littéraires ou qu'on le refuse. Mais, somme toute, mon label est plus qu'acceptable puisque Laflèche lui-même s'en prend, dès son introduction, à ce qu'il est convenu d'appeler l'humaniste bon enfant qui se pique d'être un "honnête homme cultivé": gageons que le pire lecteur de Laflèche sera Albert Léonard...

Le projet de Laflèche est simple et il s'en justifie, même si c'est cousu d'un bon gros fil blanc, dans une précaution oratoire où l'idée d'être un petit peu "terroriste" ne déplaît pas à l'auteur: "présenter en quelques pages toutes les sciences de la littérature actuellement pratiquées". Les assises de cette présentation reposent sur le modèle du linguiste Hjelmslev, l'auteur laissant délibérément de côté les implications idéologiques de son approche pour mieux mesurer l'acquis des "sciences littéraires".

Dans *Présupposés théoriques*, l'essayiste montre que, désormais, le rôle du critique devra être remplacé par celui de l'analyste qui décrit les textes alors que son prédécesseur se prévalait du droit de les juger et de les interpréter. L'analyste sera d'abord et avant tout un scientifique: "il peut et doit exister une science de tout ce qui existe: rien n'échappe à la science". Hegel, comme je l'ai souligné plus haut, n'est pas loin et nous nous convainquons, avec Laflèche, que tout ce qui est réel est rationnel.

Avec *Modèle théorique du texte littéraire*, l'auteur entre dans le vif de son projet en se référant explicitement aux désormais célèbres doublets: langue/parole, signifiant/signifié et en les adaptant à une définition du texte littéraire. Le texte littéraire sera assimilable au phénomène de la parole alors que la littérature sera tributaire de la langue. Prenant la double face du signe linguistique comme modèle, Laflèche en déduira qu'on peut envisager le texte littéraire et sa signification selon les deux plans de l'expression et du contenu. De fil en aiguille ou, plutôt, de cercles en cercles (puisque l'auteur formalise son concept à l'aide de cette figure géométrique), Laflèche dégagera un modèle du texte littéraire où divers "plans" seront autant de facettes à exploiter selon l'ordre de sciences bien précises: stylistique, sémiotique, narratologie (histoire et récit), rhétorique, thématique, poétique et langages translittéraires, entendons: psychocritique et sociocritique.

Après avoir défini et dessiné le statut, sous l'angle d'une science générale de la littérature, théorique et pratique du texte littéraire, Laflèche s'attaque à la définition d'un modèle théorique de la littérature. Constatant qu'il est pratiquement impossible de construire un tel modèle, l'auteur s'emploie, malgré tout, à cerner certains plans qui relèvent de la langue, de l'espace et du temps. L'auteur en profite, dans ce même chapitre intitulé *Modèle théorique de la littérature*, pour fustiger l'actuelle "littérature comparée" en tant que discipline frauduleuse; il frôle le concept d'intertextualité, présente ce qu'il appelle la "géographie de la littérature" (dimension spatiale) ainsi que l'histoire de la littérature (dimension temporelle) qui ne saurait se confondre avec l'histoire des idées. Diachronie et synchronie seront appelées à la rescousse et couplées à l'histoire littéraire et à la géographie et l'auteur formulera le voeu, en regard de ces approches, qu'on se réfère au modèle de la grammaire transformationnelle.

Des sciences littéraires l'auteur passera aux techniques dans *La Philologie ou les techniques de la littérature*. Laflèche conviendra que les techniques invoquées ne sont nullement spécifiques aux sciences de la littérature mais qu'elles relèvent plutôt du domaine du livre en général. Des considérations générales, pour ne pas dire des lapalissades, seront lancées, souvent avec le ton d'une révélation, en regard de la bibliographie, de l'édition et de la fonction critique au niveau journalistique. L'auteur concluera, dans *La portée d'une science générale de la littérature*, que la science littéraire "ne peut donc mener, ni même situer la réflexion philosophique et elle peut encore moins s'y situer". Sous cet aspect, la plaquette de Laflèche constitue sans doute la meilleure réponse au canular métaphysicard de Claude Lévesque: *De l'étrangeté du texte.* Pour Laflèche, il s'agit de désacraliser le texte littéraire, donc de lui enlever sa romantique étrangeté, et de le situer dans le contexte matérialiste-dialectique de la production (écrivain), consommation (lecteur) et description (analyste).

Guy Laflèche, qui aurait aimé "terroriser" les humanistes qu'il croit que nous sommes, n'aura somme toute qu'exécuté un mince compendium de tout ce qui s'est écrit de sérieux depuis plus de 20 ans au niveau de la recherche littéraire. Sa publication ne peut espérer avoir un sens que pour ceux qui ignoreraient (mais alors, quelle conception se fait donc Laflèche de son lecteur?) les travaux de gens comme Kristeva, Greimas, Propp, Souriau, Spitzer, Barthes, Genette, Ruwet, Jakobson, Saussure, Todorov, Bremond, Dufrenne pour ne nommer que les plus spectaculaires.

La belle rigueur qui se manifestait dans *Mallarmé, Grammaire générative des Contes indiens* et qu'on avait saluée, avec raison, devient ici un bouillon de culture facile. Le livre de Laflèche nous fait songer à ces potages déshydratés qui nous viennent de Suisse: ils sont, en tant que concentrés, pleins de promesses et d'arômes puissants; il suffit cependant de les diluer pour qu'on se retrouve devant un liquide insipide. Le "condensé" de Laflèche ne tient pas le coup et il se dilue, lui aussi, à une lecture attentive.

Pourtant, on ne peut qu'être d'accord avec les intentions de Laflèche: il est temps d'introduire et de pratiquer l'attitude scientifique dans l'étude et l'analyse des textes littéraires. Mais que dit Laflèche qui ne soit déjà dans les écrits des chercheurs mentionnés plus haut? Certes, Laflèche se défend bien, se défend trop (et alors l'alibi est vraiment trop facile), d'apporter des révélations fracassantes. Mais alors il faut poser le problème de l'utilité ou de l'utilisation de ce *Petit manuel des études littéraires:* à qui donc est-il destiné? Aux spécialistes de la question, à ceux qui sont déjà "de la partie"? Mais alors pourquoi ce ton d'instituteur raidi, pourquoi ces évidences sur le signe linguistique, l'intertextualité, la dénotation et la connotation? Aux profanes? Mais alors, avouons que Laflèche n'y est pas puisqu'il aurait fallu développer davantage son approche. Qui parle et pour qui parle-t-on ici? Il faut bien admettre que le professeur a dévoré l'écrivain ou le chercheur et que Laflèche nous refile un bon synopsis de cours qui trouvera preneurs chez quelques pédagogues nonchalants qui se feront un plaisir de "passer la marchandise" auprès de ces masses démocratiquement "éducastrées" qui sont prêtes à ingurgiter ou mémoriser n'importe quoi pourvu qu'on leur donne leur "maudit papier". À ce niveau, on grimace de penser qu'il y a un certain opportunisme pédagogique dans la publication de cette plaquette qui marchera très fort, n'en doutons pas, auprès de l'intellectuel petit-bourgeois progressiste.

Paradoxalement, ce livre qui ne manque pas de bonnes intentions théoriques ou qui, tout au moins, offre toutes les garanties d'un certain type de discours universitaire empesé dans son sérieux, attirera une clientèle qui n'en a aucune. Laflèche, en bon stratège qui pare déjà aux coups, admet le côté "vulgarisateur" de son essai: on comprend mal que l'auteur n'ait pas vu l'écueil insurmontable que son attitude implique.

Je ne sais pas s'il faut souhaiter à Laflèche les lecteurs qu'il mérite. Tout ce que je sais, c'est que le *Petit manuel des études littéraires*, comme beaucoup de livres qui se publient à l'heure actuelle, n'est qu'un gadget pour gens qui sont de moins en moins intéressés à lire mais qui, malgré tout, veulent se payer une bonne conscience théorique à peu de frais.

Introduction à la littérature fantastique

Il existe une certaine conception de la littérature et de la critique littéraire qui s'accommode mal avec une vision scientifique de la recherche: bref, un "chercheur" n'est pas un littéraire dans l'esprit de quelques "honnêtes hommes" égarés çà et là au sein de notre humanisme pourrissant.

Que Tzvetan Todorov soit un "chercheur" au CNRS (il s'agit, bien sûr, du trop célèbre Centre national de la recherche scientifique qu'on ne saurait confondre avec la non moins célèbre École pratique des hautes études où Roland Barthes cherche, lui aussi) et, qu'en plus, il ose s'attaquer à la littérature fantastique dans une optique délibérément structuraliste, voilà de quoi en effrayer quelques-uns. Certes, cette réédition de *l'Introduction à la littérature fantastique* en format de poche est économique et bien faite; sans doute, elle constitue le premier élément d'une approche sérieuse consacrée à des textes méconnus, arbitrairement classés à l'enseigne de la paralittérature, mais... Mais qu'on vous assomme avec une phrase du type de celle-ci: "La sémantique naît de la paradigmatique, de la même manière que la syntaxe se construit sur la syntagmatique." et voilà notre honnête homme cultivé en état d'hystérie, ou, pire encore, coincé dans le ricanement ignorant, typique aux esthètes qui ne veulent pas trop se faire suer pour mériter leur culture.

En d'autres termes, l'approche de Todorov invite à un type de lecture qui nécessite une ouverture d'esprit qui dépasse l'attitude cultivée et paraphraseuse d'une certaine critique trop en vogue. Todorov a un esprit méticuleux, systématique, cartésien et rigoureux: il a même, quelquefois, le défaut que ces qualités impliquent. Toutefois, l'originalité de sa typologie "fantastique" commande un certain respect.

Morceaux moisis

Comme tout théoricien qui installe son arsenal, Todorov se livre à des mises au point strictes envers quelques contemporains. Ainsi Northrop Frye en prend pour son rhume avec les thèses exposées dans son célèbre *Anatomy of Criticism*. Pour Todorov, Frye s'oppose nettement à l'attitude structuraliste, et se rattache plutôt à une tradition où l'on peut ranger les noms de Jung, Bachelard, Gilbert Durand. D'autre part, le thématisme de Jean-Pierre Richard se complaît trop souvent dans un refus d'abstraction qui est peu compatible avec de véritables exigences critiques. Todorov en vient ainsi à identifier deux types de critique: la critique narrative qui se colle à la linéarité narrative de l'écriture pour se perdre, trop souvent, dans la paraphrase; la critique logique qui s'efforce de cerner une structure dans sa globalité.

Pour le chercheur du CNRS, le corpus du discours fantastique doit passer par l'analyse structurale (non pas pour une vague raison de mode) afin de dépasser l'ancienne et stérile dichotomie de la forme et du fond. Le fantastique est un genre littéraire que l'on doit envisager dans l'optique d'une entreprise de savoir: il ne s'agira pas de juger les oeuvres mais plutôt de décrire une configuration sans nommer un sens.

Après avoir précisé les bases théoriques à partir desquelles il doit travailler (bases qui se situent nettement à "l'intérieur" de la littérature et qui font appel à quelques notions de linguistique), l'auteur nous entraîne dans une série de développements et de démonstrations où la notion de fantastique sera étayée avec l'aide de textes d'auteurs aussi connus et méconnus que Potocki, Nerval, Gautier, Villiers de l'Isle-Adam, Bataille, Kafka, Arnim, Hoffmann, Cazotte, Gogol, James, Lewis et plusieurs autres.

Todorov sera amené à faire des classes et sous-classes qui, souvent, frisent la coquetterie taxonomique: ainsi il y aura l'étrange pur, le fantastique étrange, le fantastique pur, le fantastique merveilleux et le merveilleux pur... Au regard de ces catégories, Edgar Poe ne serait pas un auteur de fantastique mais un de l'étrange. Cependant, *Le tour d'écrou* de James et *La vénus d'Ille* de Mérimée seraient des récits purement fantastiques. Todorov précise, dans son chapitre sur la poésie et l'allégorie que le fantastique s'éloigne de ces genres.

Le coeur du livre me semble, malgré tout, se situer aux chapitres six, sept et huit, où la thématique propre au genre est dégagée. L'auteur est amené à constater que le phénomène de la métamorphose ainsi que le pandéterminisme constituent deux des éléments typiques au fantastique. La rupture de la limite entre matière et esprit, la possibilité de la multiplication des identités chez les héros ainsi que l'effondrement de la limite entre sujet et objet jettent un éclairage tout à fait particulier sur des phénomènes qui se retrouvent au niveau d'un certain vécu: folie, expériences extatiques et enfance connaissent les mêmes illuminations face à l'espace et au temps. Le fantastique éclairerait et prolongerait certains phénomènes occultés dans nos sociétés. Todorov affirme même que le fantastique, poussant les limites du vécu quotidien, s'attacherait à décrire, souvent métaphoriquement, les formes excessives du désir sexuel (inceste, homosexualité, bisexualité, sadisme). Le fantastique est un élément "littéraire" de transgression. "La fonction du surnaturel est de soustraire le texte à l'action de la loi et par là même de la transgresser."

Dans le contexte de certaines études québécoises, il serait intéressant d'appliquer la grille todorovienne du fantastique à un roman comme *Neige noire* de Hubert Aquin.

Quoi qu'il en soit, le petit livre de Tzvetan Todorov demeure un instrument inévitable pour qui prétend aborder le domaine du fantastique littéraire. Ici, Poétique et Rhétorique se rencontrent à point nommé pour une application exemplaire d'une science de la littérature.

L'USAGE DU TEXTE

Brecht en vélocipède ou écrire comme on pédale[3]

L'a-t-on remarqué? Il se déroule, depuis quelque temps, un sombre duel sur nos surfaces asphaltées. La cohorte des automobilistes, "gros chiens de capitalistes avec leurs gangs de grosses polices", doit affronter la réaction purifiante de la bicyclette. On ne sait plus tout à fait qui est le fasciste de qui. Le dix vitesses a remplacé, ou voudrait remplacer, la transmission au plancher; le trip du "peace and love", transformé en schizophrénie écologique, se balade en vélo, traînant derrière lui un fumet de suffisance peu soucieuse de ceux qui restent: les piétons. Pédaler est devenu un nouveau snobisme, mieux, un geste politique. Hier c'étaient les bottines de construction avec le dernier Cooper sous le bras, aujourd'hui c'est le guidon d'aluminium sparadrapé telles les cornes d'un bélier momifié...

Il y a ici un mythe digne d'un décapage barthésien. On aurait pu s'attendre à ce que le Bison ravi, Patrick Straram si l'on préfère, s'attaque à ce nouveau snobisme dans sa dernière publication, *Bribes 2, le Bison ravi fend la bise.* Mais c'était trop demander à cet amant du vélo qui roula "un moment dans (sic) la roue d'Émile Idée, coureur exceptionnel dont la carrière fut cassée par la guerre de 40."

La plaquette de Straram se divise en quatre parties de contenu et de longueur différents. Il y a d'abord le chapitre *Vivre courir* qui relate, après coup, la "Course des journalistes" qui eut lieu en 1966, course financée par la Labatt. L'auteur y raconte en un style sans bavures, sobre et juste comment il gagna et obtint une médaille d'or.

La deuxième partie s'intitule *Portrait du Bison ravi en Fend-la-Bise*. Straram y relate pour la nième fois d'où il a tiré son charmant pseudonyme, ses souvenirs d'adolescence, en France, en regard du cyclisme, ses intérêts, eux aussi ronronnés, face à Bertolt Brecht, comment il s'est "qualifié" auprès du *Jour* (après avoir été refusé à *la Presse)* afin de couvrir les Championnats du monde de cyclisme en août 74. On y retrouve tout le "show off" typique d'une certaine gauche littéraire. Il faut avouer que le personnage prend ici le pas sur l'écrivain. L'auteur a une façon tout à fait mégalomane de rappeler à son lecteur tous les titres de ses publications antérieures, alors qu'ils sont clairement imprimés derrière la page frontispice de se vanter d'être un pilier de taverne et un incompris. Tout fier d'être perçu comme le "Frank Mahovlich (cet autre capricornien) de l'écriture", Straram ne semble pas se rendre compte qu'il tombe dans ce travers typique de certains intellectuels: le snobisme de la vulgarité. Le fin du fin, on s'en doute, c'est montrer comment on cuisine, devant la caméra vicieuse de François Reichenbach, son "salad dressing" lorsqu'on s'appelle Orson Welles. Le fin du fin, c'est arriver sur scène avec sa grosse cinquante et de roter somptueusement. Bref, c'est jouer au prolétaire en milieu strictement petit-bourgeois. Straram arrive sur la scène de l'écriture avec ses bières, son bien-être social ouvriériste, ses cigares et son bandeau d'Amérindien de Longchamps. Ravi d'être Bison, il n'a même pas l'humour d'ironiser sur son mythe portatif et de voir qu'il a troqué notre mouton national contre cette caricature de mouton noir qu'est le bison, symbole tout aussi sacrificiel promis, lui aussi, avec les Amérindiens, à l'élimination complète. D'où l'on voit que la vieille Europe n'en a pas encore fini avec son mythe du bon sauvage...

Si je m'attarde ici sur le personnage, c'est que l'auteur nous y invite explicitement et qu'il fait de sa vie un appendice à son oeuvre, sinon toute son oeuvre.

La troisième partie est faite de la reproduction photographique de tous les articles que Straram signa entre le 13 août et le 27 août 1974 au sujet des Championnats du monde de cyclisme qui eurent lieu à Montréal. C'est la partie la plus substantielle de cette publication et, pourtant, la plus quelconque, voire la plus anonyme. On a l'impression de lire le journal télévisé des nouvelles du sport. Les termes techniques de "quart de finale", "demi-finale", "sprint", "plongée", "sur-place", "échappée", "tour", "manche", côtoient des farces plates qui se veulent culturelles: "Courses contre la montre et poursuite, c'est du Roland Barthes, *Le plaisir du texte*", "La vitesse, c'est du Louis Aragon, *Le fou d'Elsa*", "2 Queneau valent mieux qu'un Trudeau"... On a la désagréable impression d'entendre la voix de Richard Garneau tout au long de ces lectures, un Richard Garneau qui se serait politisé pour pas cher. À ce niveau, Straram se noie littéralement dans un style ou une rhétorique qui le dépasse et l'annule en tant que sujet. Le discours sportif, comme le discours scientifique, fonctionne avec un vocabulaire, une syntaxe, des tics et des patterns qui lui sont propres et qui excluent la personnification. Straram l'a si bien compris qu'il n'a pu s'empêcher de créer ses propres apartés face à un lecteur qui avait perdu tout sens de connotation. Vu sous cet angle, le discours sportif de Straram est un échec d'écriture puisqu'il confine celui qui l'utilise à des constats de pur dénotation "Aux 75 km la Suède mène, 1 heure 38 minutes 36 secondes, devant l'U.R.S.S. à 2 secondes. R.D.A. à 2 minutes 53. Hollande à 5.37. Norvège à 5.45. Autriche à 6.11". Or, qu'est-ce qu'écrire sinon créer l'écart-type face à un discours dominant, qu'il soit politique ou sportif?

Je ne parle pas de la dernière partie du livre puisqu'elle est empruntée à Philippe Laubreaux de *Politique/hebdo* qui fait le tour du Tour de France en dénonçant les aspects purement économiques de cette manifestation sportive et je reviens à ce qui me semble être l'échec véritable de Straram dans cette plaquette (elle se vend $6 et elle ne les vaut pas!): est-ce que le vécu immédiat, Straram dirait le vivre/écrire, avec sa brochette d'affects, de lieux communs (même s'ils sont gauchistes ou progressistes) et d'humeurs suffit à faire un livre et est-ce que ce livre a une signification marquée pour qui le consomme?

Barthes remarquait, à juste titre, que l'affectivité est banale et qu'elle ne suffit pas à fonder une écriture intéressante. Les constats du vivre/écrire doivent être transcendés sous peine de s'étouffer dans la platitude du quotidien insignifiant. Que Straram nous déclare, par exemple, en p. 36: "Une ligne de coureurs cyclistes pour moi la quintessence: Émile Idée/Fausto Coppi/Ferdinand Kubler/Eddy Merckx", cela est visiblement touchant, *pour lui*, mais qu'en est-il du lecteur? Que l'auteur récidive à propos de ses papiers au *Jour:* "Ce travail *d'écrivance* et de spectacle des courses, dans cette ambiance et cette tension, je leur dois une dizaine de jours parmi les plus denses que j'ai vécus" nous le croyons sans peine mais nous nous en foutons, parce qu'il n'a pas pris la peine, par le travail rhétorique, de nous faire ressentir la densité de cette décade prodigieuse. C'est une chose que de vivre intensément, c'en est une autre que de faire un livre avec sa vie ou des "bribes" de sa vie.

Patrick Straram, qui est si conscient de l'aspect "production" d'une oeuvre, n'aurait pas dû tomber dans le piège de l'autobiographie et aurait dû être le premier, lui qui cite Barthes à propos de tout et de rien, à comprendre que la rhétorique évite à l'écriture, lorsqu'elle est trop directe, de se transformer en signe de banalité. Toute véritable écriture ne peut se faire que sous le signe de la stylisation du vécu. Être écrivain c'est pouvoir donner une résonnance particulière à ces banalités que tout le monde peut proférer: "Je souffre", "Je suis ému", "Je suis triste".

Échec d'écriture parce qu'échec rhétorique, *Bribes 2* de Straram n'est pas plus exemplaire que la dernière édition d'un quelconque journal populaire et l'on comprend que le Bison ravi, alias Fend-la-Bise, ne s'est pas fendu ce que l'on pense pour nous larguer cette tranche de son vivre/écrire. Il est déplorable qu'un écrivain de 42 ans ait si peu réfléchi sur l'écriture surtout lorsque celui-ci se pique d'animer des collectifs de création littéraire et d'être un "intellectuel progressiste". Straram pourra bramer très haut qu'il ne s'agit pas pour lui d'être un rhéteur, ni un écrivain ou encore moins un littérateur: mais alors, pourquoi publier?

D'ailleurs cette publication ressemble à un "inside joke" qui se fait sur le dos du consommateur et on comprend mal la nouvelle politique des éditions de l'Aurore lorsqu'elle continue à publier ce qui, selon la définition même du Robert au mot *bribe*, correspond à des "restes insignifiants".

La Chine de Roland Barthes

Il y a, je crois, autant d'écart entre la critique journalistique et ce qu'on pourrait appeler la "vraie" critique, qu'entre un curé de paroisse et un trappiste. La première, contrairement à la seconde, (du moins je ne cesse de m'en persuader) relève plus d'un art mondain ou de la pure sociabilité que d'une véritable performance de rigueur. Cela s'explique par des contingences évidentes: limitation de l'espace typographique destiné au commentaire, vitesse d'exécution en fonction de l'actualité et, quelquefois, hasards des services de presse. Le journaliste est fatalement invité à pratiquer un art de la réduction (comment ne pas réduire lorsqu'on doit couvrir un livre de plus de deux cents pages en trois ou quatre colonnes?) et, tels les sculpteurs de la Chine antique, il doit prendre son plaisir dans une esthétique de la miniaturisation: ce qui nous amène à parler de Roland Barthes et de son dernier ouvrage, *Alors la Chine?*

Je croyais que Jean-Jacques Pauvert, avec son édition de *Le petit* de Bataille, avait atteint le nec plus ultra de la miniaturisation: je me trompais. Les trente-huit pages de chez Pauvert sont maintenant chose du passé puisque Christian Bourgois nous offre un texte de Barthes qui ne fait que... quatorze pages. Le journalisme littéraire doit donc composer ici avec un corpus de choix: il n'est plus question, dès lors, de "réduire" le propos de l'auteur.

Le texte de Barthes, d'après les commentaires de son éditeur, n'a pas été bien reçu en France. La gauche, en particulier, qui a toujours quelque chose de percutant à dire sur Mao et son bol de riz, a dénoncé la froideur, voire l'indifférence de ce grand exégète de signes qu'a toujours été Barthes.

On comprend vite de tels reproches dès que l'on se plonge dans la lecture de ce texte de "circonstance". Le ton, effectivement, y est froid, les assertions sont littérales et ne touchent, apparemment, qu'à des aspects superficiels de la Chine... Barthes dénonce, dès le début de son "récit de voyage", la manie occidentale du déchiffrement des signes; la Chine, selon lui, pulvérise la constitution des concepts tels que nous les avons toujours entendus. Il va même plus loin: la Chine est fade, elle manque de couleur, elle s'entête à ne pas signifier ou à ne signifier qu'à travers son texte politique. Les signifiants sont rares, nous dit Barthes, et il voit la Chine "comme un objet situé hors de la couleur, de la saveur forte et du sens brutal".

Significativement, Barthes ajoute en italique à la fin d'un texte purement descriptif, une explication de son attitude. Il ne s'agit plus ici de parler en termes politiques, mais plutôt de se laisser bercer par une sorte de taoïsme qui incline à ne pas affirmer ou nier. Barthes désire "suspendre son énonciation, sans pour autant, l'abolir."

Texte "neutre"? Certes. Texte étranger, qui pratique délibérément l'étrangeté et qui marivaude avec le silence. Jamais Barthes n'a utilisé une rhétorique aussi silencieuse qu'ici. Il y a dans les remarques de l'auteur sur la Chine un ton d'innocence qui ne doit pas manquer de choquer quelques prochinois. Barthes est volontairement insignifiant.

Cette étrangeté, cette insignifiance (ou innocence) ne sont pas sans rappeler le ton, voire la stratégie qu'employait déjà Camus dans son roman *L'étranger*. Il serait important de rappeler brièvement les similitudes de ces deux oeuvres du point de vue des structures psychologiques. Il est évident que Roland Barthes construit sa Chine comme Camus son Meurseault: même technique de l'assertion neutre, factuelle, de l'être-là, même refus de jouer le jeu des concepts s'opposant les uns aux autres, même façon de s'agripper à une vision sceptique de l'univers (rappelons que sceptique doit s'entendre dans le sens de "suspension de jugement" de valeur: le sceptique "regarde", d'où son dérivé étymologique skeptesthai), même dédramatisation des valeurs. Pour tout dire, Barthes, comme Meurseault, est irresponsable. Son discours choque parce qu'il se situe en deçà de l'adhésion militantiste ou du refus réactionnaire.

Cette passivité qui enregistre les faits, cette filtration de toutes les liaisons signifiantes sont bien celles d'une pratique du langage qui refuse l'herméneutique occidentale: il n'y a rien à expliquer, cela est. On fait un procès à Meurseault, non pas parce qu'il n'a pas pleuré à l'enterrement de sa mère, mais bien parce qu'il se situe "hors du coup": il ne veut pas juger, décider (rappelons que Meurseault ne "sait" pas si son copain, Marcel, est un vulgaire proxénète; de même, il ignore s'il "aime" Marie). On fait un procès d'intentions à Barthes pour les mêmes raisons: il évite de choisir, de juger sa Chine, il ne fait que la regarder. Autre corrélation décisive lorsque Barthes avoue: "en hallucinant doucement la Chine... je voulais lier dans un seul mouvement l'infini féminin (maternel?)." On sait l'importance de la thématique maternelle dans *L'étranger* et ses rapports avec la paix, la "sagesse" et, surtout, le silence. L'auteur parle spécifiquement de cette envie de silence dans son livre.

Ces corrélations sommaires expliquent, en grande partie, l'angle à partir duquel Barthes a travaillé dans son *Alors la Chine?* Ce parti pris d'étrangeté et de simplicité n'est pas exempt d'une certaine forme de provocation. Cependant, depuis *Le plaisir du texte* et du *Barthes par Barthes*, Roland Barthes semble obliquer vers une exploitation plus impressionniste du langage. Toutefois, il n'est pas sûr que si les lecteurs, depuis ces deux textes-charnières, le trouvent plus lisible, plus "humain", moins hermétique et prétentieux, qu'ils le comprennent davantage.

Les paradoxes d'une parole silencieuse sont plus exigeants que le fourbi sémiotique des textes de jeunesse: il est probable que Barthes aura à s'affronter à ce que la tradition appelle la Claire Lumière du Vide et qu'il perdra, encore une fois, beaucoup de lecteurs mitoyens.

Fragments d'un discours sur le texte

Depuis *S/Z*, Roland Barthes explore patiemment les chemins arides de la non-signification. Après les grandes synthèses didactiques, après la démystification d'une certaine symbolique occidentale, après les hautes performances de ce que l'on pourrait appeler la linéarité discursive et métalinguistique, Barthes revient aux sources, se débarrassant du lourd appareil analytique qui avait fait sa réputation, en étant de plus en plus loin de ce qu'il appelle "la tentation du sens".

Avec *Fragments d'un discours amoureux* Barthes témoigne, au-delà même de la thématique avouée de son livre (le discours amoureux), d'une certaine prise de position quant à l'usage du texte. Il y a ainsi une double lecture qui est proposée avec ces *Fragments:* une lecture naïve, voire impressionniste, qui peut se limiter à ne voir qu'un compendium des états amoureux du sujet; une lecture théorique qui est reliée à l'ensemble de la démarche de Barthes, lecture qui témoigne de l'intertextualité de tout le texte.

Dès l'introduction, l'auteur avoue l'inachevé de son entreprise en oubliant délibérément la notion de métalangue. On sait que tout métalangage est un discours de déchiffrement orienté vers la profondeur donc vers le sens. Pour Barthes, il s'agit plutôt d'énoncer que d'analyser. Il dira: "c'est un portrait, si l'on veut, qui est proposé, mais ce portrait n'est pas psychologique; il est structural". Le lecteur est invité à combler les diverses "figures" qu'on lui propose, plus, le livre "idéalement, serait une coopérative". Le texte de Barthes s'inscrit donc dans ce que Kristeva avait appelé l'intertextualité. Le texte, tel un tissu, est la résultante de tous les fils qui le composent. L'oeuvre ne serait, dans le réseau global de l'intertextualité, qu'une signification clôturée par l'auteur. Tout texte ramène ou suppose *tous* les autres textes passés ou à venir.

Déjà, dans *De l'oeuvre au texte*, Barthes déclarait: "le Texte est cet espace social qui ne laisse aucun langage à l'abri, *extérieur*, ni aucun sujet de l'énonciation en situation de juge, de maître, d'analyste, de confesseur, de déchiffreur". Barthes refuse le déchiffrement et choisit ici la polysémie, quitte à ce qu'elle vienne de la lecture du lecteur. Dans *S/Z* (qui est le début du Barthes seconde manière, le Barthes de l'irresponsabilité signifiante) l'auteur nous dit: "plus le texte est pluriel et moins il est écrit avant que je ne le lise".

Ainsi, le problème fondamental des *Fragments* est celui du rapport entre auteur et lecteur en fonction de la signification. Rejetant la notion d'oeuvre finie, "clôturée" au profit de celle du texte, Barthes risque, à force de polysémie, l'asémie complète. Mais contrairement à l'auteur classique, l'écrivain qu'est Barthes n'est plus le seul responsable du sens ou des sens qu'on attribuera à son texte. Le pari de Barthes est le suivant: à partir de quel moment l'auteur peut-il lâcher la main du lecteur? Ici, un auteur volontairement "incomplet" rencontre à mi-chemin, un lecteur en voie de devenir écrivain: c'est du moins l'espoir de Barthes. Le pari n'est-il pas idéaliste, voire vicieux?

Au fond, Barthes institutionnalise la rêverie naturelle de tout lecteur devant tout texte. Le "lire entre les lignes" de la lecture classique et qui relevait du plaisir sinon de la nonchalance du lecteur devient ici une obligation émanant de la structure du texte Barthien. Le lecteur est inséré, presque de force, entre les lignes, dans les blancs, les manques du texte: Barthes, en lâchant la main de son lecteur, la lui force en même temps. L'attitude, de même que la structure du texte qui est fondée sur la discontinuité (le texte barthien ne serait-il devenu qu'une oeuvre décomposée, déconstruite?), de Barthes suppose que l'oeuvre est irrémédiablement ouverte, selon l'expression d'Eco, et que tout lecteur est aussi un écrivain, malgré lui.

À la limite, le texte des *Fragments* n'est ni de Barthes, ni de son lecteur. On peut lire ce livre comme on lit un dictionnaire, avec ces trous, ces vides, tout en habillant, au gré de notre fantaisie, les squelettes, les "figures" (les topiques dit Barthes qui significativement, les associe au vide) qui nous sont proposés. Les *Fragments* posent tout le problème de l'identité de l'écrivain et de sa différence d'avec le lecteur, ils posent également le problème de l'appartenance, voire de la paternité, d'un texte. Qui parle et qui signe ici? La signature du texte peut-elle, désormais, aller de soi?

Je parlais, plus haut, d'un pari idéaliste, voire vicieux au sujet de l'entreprise de Barthes: l'écrivain classique fait une *oeuvre*, machine concertée (du moins c'est à espérer) qui agira sur le lecteur; le lecteur classique, en déconstruisant l'oeuvre et en la reliant, selon son taux de culture et sa virtuosité à faire des relations, à d'autres oeuvres fait le *texte*. Barthes renverse le processus et brûle une étape: celle de la clôturation signifiante de son texte. Le lecteur n'arrive plus devant une *oeuvre* finie qu'il pourra "trouer" à son gré; il se trouve face à des fragments de signification qu'il devra totaliser, s'il le désire et s'il est obsédé par "la tentation du sens" dans un geste qui ne relève plus de la lecture mais de l'écriture.

L'entreprise des *Fragments* est une réussite dans la mesure où l'on accepte cette prémisse implicite: tout lecteur est un auteur en puissance...

SURRÉALISME

Surréalisme ou surrationalisme?

La lecture d'Alphonse Allais contentait, jusqu'à date, ma conception naïve et confortable du surréalisme. Au "poisson soluble" de Breton, je me limitais à opposer l'aquarium en verre dépoli pour poissons timides du cher pharmacien de Honfleur. Et je m'émerveillais, avec lui, de ce que la Providence avait eu d'admirable en ayant pris soin de déposer au fond des océans des éponges afin de limiter les inondations, à coup sûr dévastatrices.

Tout cela est irrémédiablement perturbé avec l'apparition de *La civilisation surréaliste*, "collectif de production" regroupant plus de 57 textes écrits par une dizaine de collaborateurs. La grandeur de notre époque nous aura au moins appris qu'il est plus facile de se mettre à plusieurs afin d'exister.

De ce collectif il se dégage ceci: il y a Vincent Bounoure, Vratislav Effenberger, Bernard Caburet et tous les autres... Ces trois auteurs totalisent, à eux seuls, plus de 70% de la scène littéraire. Vincent Bounoure, le plus vorace, signe 22 des 57 textes présentés au public. Si je me livre à cette déplorable comptabilité, c'est pour mieux comprendre que ce triumvirat monopolise ce qu'on pourrait appeler l'idéologie d'attaque de *La civilisation surréaliste* qui se divise en six grands chapitres: 1- Histoire et surréalisme, 2- Langage et communication, 3- L'échange surréaliste, 4- La vie collective, 5- Le monde réel et 6- Il y aura.

Quelle est donc cette idéologie? En bref, il faut comprendre que la civilisation moderne est affreuse, que la science est l'ennemie à abattre, qu'il faut retrouver ou redonner au "principe de plaisir" toute sa véritable dimension. On croira que je caricature, et pourtant... À lire Bounoure, Effenberger et Caburet on se convainc que la pensée manichéique n'a pas fini de faire des victimes.

Morceaux moisis

Les ennemis sont clairement identifiés: c'est d'abord l'anthropologie structurale de Lévi-Strauss qui est accusée de "néo-positivisme", de "rationalisme" et de "formalisme de type universitaire". C'est ensuite la linguistique qui, selon ces auteurs, méconnaît les contenus du discours et se limite au "stade descriptif". C'est surtout et enfin, la guerre contre le logos, source de tous les malheurs humains. Les citations sont claires et désarmantes: "le logos doit être destitué de ses prétentions grotesques à l'éternité", "la linguistique a ouvert la voie au totalitarisme du code" elle a également fomenté le "projet totalitaire d'une cybernétique généralisée", le surréalisme "est le nom d'un conflit permanent avec les formalismes qui étouffent la vraie vie et rétrécissent le champ de la communication"...

Visiblement, ces auteurs ignorent tout des disciplines incriminées. Au seul niveau de la linguistique, Jackobson n'a-t-il pas insisté sur la fonction poétique du langage articulé? Le procès du Logos est si simpliste qu'il décourage même les plus méticuleux. N'est-ce pas le plus cocasse paradoxe de ce livre que de nous expliquer, avec le langage de la logique discursive et rationnelle que seule l'irrationalité devrait mener le monde? D'ailleurs le surréalisme a toujours baigné dans cette contradiction: adopter un langage rationnel pour exiger l'éradication urgente du rationnel. Ici, la vieille lutte contre la raison, "maintenue dans son lit de Procuste positiviste", n'est plus opératoire. C'est oublier que la pensée poétique, que le mythe, se concrétisent par le logos. Comme le fait justement remarquer Jean Markale, le logos n'est pas le point de départ: il n'est que le mode opératoire.

À plusieurs reprises les auteurs insistent sur le fait que l'écrivain doive retrouver sa véritable parole au sein de la langue "raisonnable" du Pouvoir allié au Capital. N'est-ce pas le défi de tout écrivain, surréaliste ou non, que de reformuler pour lui-même et pour les autres (souvent sous le mode exemplaire) ce que le code lui a enlevé? Ici encore nos auteurs auraient eu intérêt à méditer l'opposition, bien connue en linguistique, entre langue et parole. Que le code soit appelé à être transgressé, voilà bien une des constatations majeures de la linguistique contemporaine.

Ce livre, à 70%, est donc le bréviaire ombrageux d'une pensée qui cultive maladroitement la thématique du sauvage agressé par l'ordinateur. Le plaisir de la lecture se situe plus au niveau de l'esthétique paranoïaque qu'à celui d'une véritable volonté d'analyser les faits. Avec Bounoure, Effenberger et Caburet on comprend que le logocentrisme est à l'esprit ce que le phallocentrisme est au féminisme: une entité malsaine qui n'a pas eu la chance d'être détotalisée par l'esprit analytique qui, rappelons-le, n'est qu'un moyen d'investigation intellectuelle et non une fin en soi.

Les seuls textes qui sauvent *La civilisation surréaliste* sont ceux de Jan Svankmajer (qui nous réintroduit dans l'univers de l'humour noir, tel que défini par Breton, avec un texte sur les "machines ipsatrices"), de Renaud (qui dresse un tableau saisissant d'une psychologie de l'Indien), de Jean Markale (qui dresse les véritables enjeux du débat Muthos/Logos), de René Alleau (qui, afin de justifier les bases d'une épistémologie du rêve, consulte l'apport de scientifiques tels que Eddington, Milne, Russel et Gonseth) et, enfin, de Robert Guyon (qui redéfinit le "retour à soi" à travers des auteurs comme Ouspensky, Lewis Carrol et Jean Ristat).

Le plus grand malentendu de *La civilisation surréaliste* est sans doute celui de sa véritable spécificité. On se surprend à penser, en lisant ces pages faussement polémiques, que des gens comme Ivan Illich, Cooper, Laing et Neill sont plus surréalistes que les auteurs qui se réclament de cette étiquette. Si *La civilisation surréaliste* a pour objectif ultime l'avènement de l'Utopie avec ce que cela implique au niveau du déblocage du principe du plaisir, il faut bien avouer que le projet surréaliste n'est pas entre de bonnes mains avec les auteurs de ce "collectif".

En fait, ne faut-il pas interpréter l'échec relatif de ce livre du seul fait que le surréalisme, en tant que moyen de "changer la vie", est définitivement dépassé par quelques sciences humaines qui ont un souci évident de critiquer les structures socio-politiques déjà en place? Vouloir être soi, envers et contre tous les totalitarismes, est un acte surréaliste? Alors, nous le sommes tous. Et, tout aussi bien, personne ne l'est plus.

Morceaux moisis

Je conseille donc à ceux qui veulent consommer le surréalisme, en tant que mouvement littéraire, de ne pas acheter ce "collectif": ils seront mieux servis par Michel Carrouges avec son *André Breton et les données fondamentales du surréalisme*, par Maurice Nadeau avec son *Histoire du surréalisme*, par Marguerite Bonnet et son *André Breton, naissance de l'aventure surréaliste* et surtout par *OULIPO, la littérature potentielle*. Il est fort probable que les lecteurs retrouveront leur sourire avec les pirouettes de Raymond Queneau et François Le Lionnais. Également indispensable pour toute bibliothèque surréaliste qui se respecte, le *DADA, manifestes, poèmes, articles, projets* de Ribemont-Dessaignes paru aux éditions Champ Libre.

Les collages de Carrouges

Michel Carrouges, sous le patronat de Jarry puisqu'il lui emprunte le point de vue de la "pataphysique" de sa critique, vient de rééditer son étude sur *Les machines célibataires* aux éditions du Chêne. Étrange étude où, partant du célèbre tableau de Marcel Duchamp qui s'intitule *La mariée mise à nu par ses célibataires, même,* il essaie d'instaurer des corrélations structurales entre l'oeuvre purement graphique de Duchamp et des textes d'auteurs célèbres: Kafka, Roussel, Jarry, Apollinaire, Verne, Villiers de l'Isle-Adam, Irène Hillel-Erlanger, Adolfo Bioy Casarès (comparse malicieux de Borges), Lautréamont et Edgar Allan Poe.

Dès son introduction, Carrouges énonce ses parti pris idéologiques, voire opérationnels: son approche est envisagée sous l'angle des "méthodes de la pensée irrationnelle". Selon lui, la critique doit travailler surtout au niveau des mythes afin de dégager des archétypes hermétiques. L'auteur cite les exemples de Lévy-Bruhl et de Mauss, pour le domaine de l'exploration mythique, en oubliant, étrangement, Lévi-Strauss. Pour la littérature, le *Edgar Poe* de Marie Bonaparte et le *Délires et rêves* de Freud, semblent constituer le nec plus ultra de l'interprétation littéraire. Bref, l'auteur ne s'en cache nullement, en étudiant le mythe des machines célibataires, il s'avance sur le seuil "de l'ère de la barbarie scientifique et concentrationnaire"... Face à cette agression moderne, le surréalisme sera la voie d'évitement par excellence car: "c'est lui seul qui possède la plénitude du pouvoir d'intégration de toutes les plongées à vif dans les mythes et de toutes les méthodes d'interprétation". On ne s'étonnera pas, après cela, que Carrouges ait écrit un livre sur Charles de Foucauld, un autre sur les apparitions des Martiens et qu'il voue une admiration, sans borne, au Papa-Pape Breton.

À bien considérer l'ensemble des textes que Carrouges nous soumet on ne peut s'empêcher de voir dans son entreprise, dans le meilleur des cas, qu'une application des hasards objectifs, tels que définis par Breton, au domaine de la critique. On pourrait sourire si l'humour qui se dégage de ces analyses n'était pas foncièrement involontaire. Les corrélations que Carrouges veut "faire coller" entre le tableau de Duchamp et les textes des auteurs cités sont absolument gratuites et tirées par les cheveux. Le lien causal qui unit ces oeuvres au concept-étalon de machine célibataire ne relève aucunement de la démonstration scientifique. On ne s'en formaliserait aucunement si l'auteur avait tenu ses promesses pataphysiques (rappelons la définition de Jarry: "La pataphysique est la science des solutions imaginaires qui accorde symboliquement aux linéaments les propriétés des objets décrits par leur virtualité.") mais Carrouges semble avoir mauvaise conscience à tel point qu'il essaie de faire "accréditer" sa méthode à l'aune, toute scientifique de la théorie des ensembles et de la dioptrique.

Le lecteur, sans doute, me suit mal: de même suivons-nous Carrouges qui articule une argumentation (visiblement, l'auteur veut "prouver" son point de vue) voisine de la pensée, non pas irrationnelle, mais superstitieuse. On connaît le mécanisme: la pensée superstitieuse ou magique élimine d'instinct tous les phénomènes qui contredisent ses postulats de base afin de ne retenir que ceux qui les fondent. Axiomatique frauduleuse qui fait flèche de tout bois. Herméneutique viciée qui s'enlise dans l'esprit de sérieux, l'analogie symbolique et l'association libre.

Même Duchamp, pince-sans-rire effroyable, signale à Carrouges, dans une lettre de 1950, ses réserves: "Les conclusions auxquelles vous êtes amené dans le domaine "signification intérieure" me passionnent même si je n'y souscris pas. . ." Duchamp se marre et Carrouges, avec le sérieux d'un médium, communie avec les forces profondes du sacré, ne cessant d'être agressé par l'ordinateur, machine célibataire aux antipodes de son "trip" hermético-occultiste.

Il faut lire l'essai de Carrouges avec l'idée bien arrêtée de ne pas le considérer comme un travail scientifique ni pataphysique. Dès lors, l'esprit de jeu qui manque visiblement à Carrouges doit suppléer aux évidentes carences d'argumentation de l'auteur. Dès lors, on accepte mieux les "Hénaurmités" que Carrouges fait dire aux textes qu'il interroge. D'autre part, le thème de la machine célibataire aurait pu être exploité avec beaucoup plus d'éclat au niveau de la sculpture. Il suffit de penser aux machines suicidogènes d'un Jean Tinguely pour savourer les données éthiques qui président à tout état de célibat: refus de procréer, refus de la femme en tant que sujet, présence de la forme moderne du "complexe de Narcisse" et de son ascèse glacée, etc.

Ajoutons, pour conclure, que la qualité technique de la présente édition est loin d'être, comme on l'a dit ailleurs, "somptueuse": visiblement, les éditions du Chêne n'ont su éviter les avatars de la technique de la photocomposition. On peut repérer, à vue d'oeil, toutes les corrections d'épreuves et toutes les turpitudes d'un montage bâclé. Seules subsistent, dans leur sobriété monochrome, les excellentes reproductions de Jihel.

La mariée enfin mise à nu?

De Lautréamont à Deleuze, en passant par Breton, Marcel Duchamp est sans doute le créateur le plus troublant, celui en qui la “modernité” de notre siècle aura peut-être trouvé sa plus juste incarnation. Créateur autrement plus important que Picasso, ce faux prophète du frisson rétinien, Duchamp redonne à l'art pictural sa véritable dimension cérébrale.

Dès 1912, il s'affaire au *Grand Verre* qui aura fait couler tant d'interprétations contradictoires que Duchamp doit encore en ricaner dans sa tombe. Jean Clair, dans *Marcel Duchamp ou le grand fictif*, se propose de retrouver la “genèse rationnelle” de cette *Mariée mise à nu par ses célibataires, même*. Rejetant les herméneutiques classiques qui, selon lui, se réduisent à trois grandes clefs: la clef ésotérique (Breton, Burnham, Lebel), la clef religieuse (Carrouges, Janis) et la clef psychanalytique soit d'inspiration jungienne (Arturo Schartz), soit kleinienne (René Held), l'auteur remonte aux sources littéraires en allant questionner les écrits de Duchamp, qui fut peut-être un plus grand dilettante de l'écriture que de la peinture, dont ceux de la *Boîte Verte*, de *Marchand du Sel* et des diverses déclarations aux critiques du monde entier.

Jean Clair a vite fait de nous rappeler ce qui “crevait les yeux”: l'importance d'un certain Pawlowski qui écrivit en 1912 un roman de “science-fiction” qui s'intitule *Voyage au pays de la quatrième dimension* et dont la version définitive fut signée en 1923, année où Duchamp abandonne sa *Mariée*... Ce roman, dans la tradition swiftienne du conte ironico-philosophique, s'igéniait à récuser toute forme de logique aristotélicienne, s'alimentant aux paradoxes de la pataphysique du Dr Faustroll. À la même époque, Duchamp est ébloui par la représentation théâtrale, qu'il voit à Paris, des *Impressions d'Afrique* de Roussel.

Morceaux moisis

Clair nous démontre efficacement, avec textes à l'appui (la juxtaposition de passages du roman de Pawlowski avec les écrits de Duchamp est concluante), que le postulat sur lequel repose l'agencement du *Grand Verre* est le même que celui qui préside dans le *Voyage au pays de la quatrième dimension*. Duchamp en était venu à penser que "de même que la peinture est une projection sur une surface à deux dimensions d'un univers tridimensionnel, de même cet univers lui-même n'est-il peut-être que la projection d'une entité à quatre dimensions". Ce parallélisme conduisait, évidemment, à la constatation que tous les objets qui nous entourent ici-bas ne sont que des moules d'autres objets qui nous demeurent invisibles. Ainsi, la réalité tridimensionnelle du monde que nous appréhendons ne serait que "l'ombre" de celle d'un univers quadridimensionnel.

Duchamp se révèle donc être un peintre de l'Idée Pure, d'où son mépris pour le frisson rétinien et d'où ses recherches sur la perspective. Cette vision de son art le rapproche étrangement de la réflexion néo-platonicienne selon laquelle toute apparence, ici-bas, ne serait que l'ombre d'une vérité supérieure. Les notes de la *Boîte Verte* témoignent du haut niveau d'abstraction dans lequel Duchamp baignait allègrement. Ses considérations sur la perspective avec les paradoxes optiques à la Moebus qui ruinaient les canons du système perspectif normal en font un frère jumeau de M.C. Escher qui, lui aussi quoique à un niveau de moindre cabotinage, anéantit toute la logique visuelle traditionnelle pour nous amener aux confins du "nonsense" et du fantastique mathématique.

À cet égard, Escher et Duchamp sont de purs classiques (dans la tradition des perspectives curieuses d'un Père Dubreuil ou d'un J.F. Niceron), eux qui nous font voir que la réhabilitation de la perspective, sous l'angle scientifique, est bien plus apte à réintroduire l'intelligence dans la peinture que la réfutation qu'en ont faite des mouvements modernes comme l'Impressionnisme ou le Futurisme.

Avec l'essai de Clair, l'ironie et le cynisme de Duchamp qui avaient été tirés dans les eaux troubles de l'ésotérisme et des mystagogies retrouvent leurs ailes pour voler en des cieux plus cléments: ceux de la pataphysique de Jarry, ceux des jeux de mots de Jean-Pierre Brisset et des inventions délirantes de Roussel. Avec le parrainage spirituel de Pawlowski, Duchamp se lance dans la création d'un univers biomécanomorphe où l'anthropomorphisme traditionnel est renversé: ce n'est plus l'homme qui animise les machines, ce sont les machines qui imitent leurs créateurs. Les "moules malics" s'alimentent du désir de la *Mariée* alors que celle-ci voyage au gaz d'éclairage dans une hypothétique "voie lactée". Le *Grand Verre* illustrerait les diverses étapes de cette marche de l'humanité vers la quatrième dimension. À la lecture de *Marchand du Sel*, on comprend que la *Mariée* est une spéculation métaphysique développée "dans l'influence des écrits de Poincaré et de Flammarion à travers Pawlowski".

L'étude de Jean Clair a le grand mérite de replacer le *Grand Verre* dans la perspective de la littérature et de la réflexion philosophique à partir desquelles Duchamp a toujours travaillé. Ses relations épisodiques avec certains surréalistes, son goût pour les contrepèteries et les anagrammes (sous le pseudonyme de Rrose Sélavy), son talent incontesté pour la formule courte et déroutante ainsi que pour la mystification érigée en système philosophique en font un personnage de première importance dans le monde des lettres. La *Mariée* repose peut-être plus sur des mots que sur du verre et de la couleur...

De plus, *Marcel Duchamp ou le grand fictif*, en tant qu'exercice d'interprétation d'une oeuvre d'art, instaure les bases de ce qu'on pourrait appeler la critique réaliste, par opposition à la critique idéaliste. La première partant du principe qu'une oeuvre contient "de fait" les indices à partir desquels il n'est pas possible de "vaser", alors que la seconde s'ingénie à bavarder "sur" une oeuvre à partir des interprétations qui obsèdent plus l'herméneute que l'objet fini émanant du sujet créateur. L'une est essentiellement dénotative et soucieuse de l'appareillage critique, des preuves et de l'argumentation, l'autre est connotative et se satisfait aisément d'analogies lointainement plausibles et de démonstrations laborieusement obscures. Jean Clair nous incline à penser, sans renoncements spiritualistes déchirants, que la critique a grand mérite d'être plus scientifique que littéraire.

P.S. Il faut ajouter qu'on ne saurait pleinement savourer l'essai de Jean Clair sans se référer aux *Entretiens avec Marcel Duchamp* de Pierre Cabanne.

Il existe une édition relativement récente du roman de Gaston de Pawlowski chez Fasquelle (collection Charpentier) qui date de 1962.

Surréalisme, littérature québécoise et patchwork

Après 50, le surréalisme ne veut plus dire qu'un académisme formel désagréable. (Borduas)

On a fait état, ailleurs, des immenses qualités de compilation, recherche, agencement, rassemblement, recoupement, description et d'énumération qu'a nécessitées la rédaction de l'ouvrage d'André-G. Bourassa, *Surréalisme et littérature québécoise*, pour qu'on y revienne ici.

Avec une patience indéniable, l'auteur de ces 375 pages d'une fine typographie nous convainc qu'avec des fiches on vient à bout de tout, même du lecteur. Étrange livre où le document introuvable s'amalgame à l'histoire littéraire avec un brin de sociologie. Derrière Bourassa on reconnaît la manière d'un Marcotte qui préféra toujours le "fait journalistique" à la théorie littéraire...

Admettons qu'il est aisé de commettre un article sans supports théoriques; peut-on en faire autant pour un livre entier? C'est un pari que semble vouloir tenir Bourassa qui nous livre une brochette de faits, de dates et d'inédits sur ce que fut, ou tenta d'être, le mouvement surréaliste au Québec: brochette libérée (privée?) de son axe, ce qui a pour effet de nous confiner à l'ambiguïté fondamentale de ce document.

Passer de Philippe Aubert de Gaspé à Vanier, en essayant de nous faire croire que la seule "surréalité" de leurs oeuvres crée un fil conducteur suffisant, voilà qui est présomptueux. Et ambigu. Cette ambiguïté est si manifeste que dès le début Bourassa hésite et se tient dans un informulé commode: le surréalisme c'est du fantastique, de l'insolite (voire du saugrenu) et, tout aussi bien, un "état d'esprit". La coupe est trop grande pour ne pas donner un punch indigeste. Un leitmotiv du doute s'inscrit alors dans le déroulement du texte, au fil des collages de l'auteur. Ainsi, à propos de *Beauté baroque* de Gauvreau, l'auteur s'interroge: "Roman surréaliste? Difficile à dire (...)" (p. 140). Au sujet de *La charge de l'orignal épormyable:* "Faut-il parler de théâtre surréaliste?" (p.145). Un peu plus loin, à propos d'Hénault: "Faut-il parler de surréalisme?" (p. 201). Encore, au sujet de *l'Hexagone: "L'Hexagone* est-il surréaliste?" (p.240). Même Vanier a droit à l'interrogation itérative: "Faut-il parler de surréalisme?" (p. 270)... Faut-il insister davantage?

Tout se passe comme si ce que l'auteur dit du *Refus global* s'appliquait, de fait, à sa propre vision du Surréalisme québécois: le surréalisme devient, sous nos yeux, tout ce qui "prend valeur symbolique de contestation pure et simple de l'ordre établi." Rétrospectivement, Borduas lui-même devient le critique le plus incisif envers le livre de Bourassa:

> Une école, ou mouvement, au nom précis (exemple: le surréalisme) n'exprime — en dehors de ses personnalités — qu'un "rapport momentané" d'une forme (en temps et lieu déterminés) à un fond poétique absolu. Vous semblez oublier le rapport et identifiez le vocable à l'absolu. À ce compte, pour nous définir, nous devrions énumérer toutes les écoles du passé qui ont laissé des traces vivantes en nous. Ce serait incommode et inutile: le présent contenant le passé.

Avec les doutes de Bourassa et les réserves de Borduas on en vient à se dire: "Et si le surréalisme littéraire québécois n'existait pas?"

J'oublie, bien sûr, les sueurs, les fiches, le génie bibliocompilatoire de l'auteur afin de le chicaner sur un problème de synthèse "personnelle", une édulcoration d'ordre théorique... Mais s'agit-il de rétribuer l'écrivain, pèse-texte en main, au taux de toxines dégagé par son activité textuelle? L'auteur cite, cite et recite et, bientôt, oublie de faire le point en submergeant son lecteur de noms, de titres, de notes. Bourassa veut faire l'histoire du surréalisme québécois, qui devient, trop vite sous sa plume, synonyme d'automatisme, en adoptant un point de vue an-historique (il faut bien avouer, contre André Beaudet, que le "recours au politique" est mal étayé: il ne suffit pas d'écrire "duplessisme" pour recréer le climat d'une époque); il prétend traiter d'une école, ou d'un mouvement, sans faire la typologie critique du genre incriminé; il écrit "surréalisme et littérature" et pense, ou nous donne à penser, "automatisme et poésie"...

Bourassa voudrait se cacher derrière des faits et on le soupçonne volontiers d'avoir cru à l'objectivité d'un degré zéro de l'écriture et de la critique. Faut-il écrire, comme Jean Fisette, "C'est là sa faiblesse et sa force!" Faut-il dire tout haut ce qui nous vient à l'esprit après la lecture des cent premières pages: "Quelle documentation, mais où sont le style, le sens de la synthèse et les corrélations signifiantes?"

Il m'a semblé que les vertus inhérentes au texte de Bourassa pouvaient apparaître dès qu'on délaissait un usage de celui-ci axé sur la linéarité, la continuité pour ne pas dire la "dramatisation "de la connaissance pour les remplacer par la discontinuité (Bourassa est terriblement chronologique mais éminemment discontinu) et la juxtaposition. L'auteur favorise une rhétorique du collage, figure privilégiée du patchwork. Il faut lire *Surréalisme et littérature québécoise* comme on lit un dictionnaire; alors on se réconcilie avec ce que l'on pourrait appeler le *Who's Who* de quelques peintres et de beaucoup de poètes d'ici, à tel point que le titre véritable de l'ouvrage aurait dû être *Automatisme et poésie québécoise.* Dès qu'on oublie que Bourassa n'est (ou ne s'est pas voulu?) ni un écrivain, ni un théoricien on s'accommode du documentaliste consciencieux.

Une fois cela précisé, nul doute que ce livre a son importance dans le corpus de notre histoire et qu'il sera apprécié par beaucoup, même si peu le lisent d'un couvert à l'autre sans défaillir. Il fera plaisir aux poètes qui ne manqueront pas d'y voir l'image gratifiante d'un certain messianisme révolutionnaire, toujours différé en ce pays où ils sont rois et de toutes les révolutions, même si elles sont tranquilles.

LANGAGE ET PAROLE

Jakobson, son et sens

À la seule idée d'utiliser le mot de linguistique, la main m'en tremble. Combien de visages défaits, de mines révulsées, ai-je vus dans les couloirs cafardeux des cégeps à la pâle évocation de cette discipline. À n'en pas douter, le kymographe et les radiographies schématisées de l'appareil phonatoire ont donné naissance à ce que l'on pourrait appeler le “syndrome de Straka”. On s'étonne, compte tenu de l'importance de la science linguistique au sein des sciences humaines et en regard du structuralisme, de voir tant de résistances chez le corps estudiantin. N'avons-nous pas trop de rhéteurs spiritualistes parmi les élus de la bourgeoisie professorale qui, tels des amants maladroits qui décident du destin saphique de jeunes filles en fleurs, détournent à tout jamais les étudiants de l'orgasme linguistique? Encore faut-il faire la différence entre Straka et Jakobson; entre phonétique et linguistique.

On ne saurait trop conseiller ces *Six leçons sur le son et le sens* que Jakobson vient de faire paraître aux éditions de Minuit. Leçons qui furent données en 1942 à l'École libre des hautes études, à New York et auxquelles assistèrent, en particulier, des gens comme Claude Lévi-Strauss et Charles F. Hockett.

Dès l'introduction, Lévi-Strauss rappellera le rôle déterminant que joua Jakobson dans l'élaboration de ses grilles analytiques en regard des mythes. Les doublets de nature et culture répondent à ceux de son et sens tels que présentés par Jakobson. Le code verbal et les phonèmes trouveront, dans des recherches qui sont célèbres maintenant, des applications exemplaires au niveau du code génétique et des mythèmes. Le structuralisme naissait, à New York, en ces années d'exil.

Jakobson s'applique surtout, dans ces leçons, à cerner ce qui constituera la clef de voûte de toute la linguistique moderne: le phonème. Partant des tâtonnements des néogrammairiens du

XIXe siècle qui s'enlisant dans l'aspect strictement moteur de la production des sons, passant par les développements de la phonétique acoustique qui, elle aussi, piétinait sur place en ne pouvant trouver les assises d'une "science" du langage, Jakobson nous démontre la nécessité d'envisager les sons dans leurs rapports fonctionnels avec le sens.

Avec Beaudoin de Courtenay et Nicolas Kruszewski qui précédèrent Saussure, le concept de phonème apparaît, même si c'est au sein d'un climat scientifique douteux où les vieux débats entre nominalisme et réalisme agonisent trop lentement. L'échec des néogrammariens trouvait une solution de continuité entre son et sens grâce au phonème. La phonologie était née. Jakobson rappelle, à cet égard, que la phonétique est à la linguistique ce que l'orthographe est à la stylistique. Ainsi, avant l'apparition de la phonologie, l'étude de la matière phonique, l'étude des sons du point de vue moteur et acoustique, sans égards aux fonctions qu'ils remplissent dans la communication, n'appartenaient pas directement à la linguistique.

Le son a-t-il une valeur significative? Le phonème ne signifie rien, mais il sert à produire du sens. Jakobson dira, dans une formule lapidaire: "seul le phonème est un signe différentiel pur et vide". Ainsi la langue s'avère être l'unique système composé d'éléments qui sont en même temps signifiants et vides de signification. C'est donc le phonème qui est l'élément spécifique de la langue, d'où son importance à l'intérieur de la phonologie.

Ces cours, d'une clarté agréable, se lisent comme un roman. Point besoin de jargon rébarbatif pour saisir que Jakobson est un grand écrivain et un plus grand linguiste encore. Le plus grand mérite de cette publication est sans doute le fait qu'elle témoigne du côté passionnant de la linguistique qui cesse d'être un pensum pour s'afficher comme une discipline de l'esprit qui est au coeur même de notre compréhension de l'humain.

Voyage en Cratylie: Genette et le fantastique linguistique

Il n'appartient pas à un critique de faire le procès d'un livre au nom du concept équivoque de "lecteur moyen". Il y a beaucoup de mépris dans cette attitude médiocrate qui, trop souvent, n'est que la face cachée d'une pensée fièrement accroupie dans ses réflexes de paresse intellectuelle. Il existe malheureusement trop d'éditeurs et trop de critiques qui mangent à cette gamelle débilitante du livre-pour-tous-qui-plaît-à-tout-le-monde...

Pourtant, à plus d'un titre, le dernier livre de Gérard Genette pourrait être une proie facile à ces réducteurs irréductibles. *Mimologiques* se veut en quelque sorte une historiographie de l'imaginaire linguistique de Platon à Bachelard. On connaît mal, ici, Gérard Genette: il n'est pas dans le champ de recherche d'un certain snobisme de gauche que l'on connaît au Québec. Pour ma part, je me contenterai d'affirmer qu'il est à la critique contemporaine ce que Pierre Klossowski est à la fiction: un chercheur de fond efficace et, pourtant, peu spectaculaire.

Il est vrai que Platon n'intéresse plus personne, sauf Genette qui a eu la brillante idée de prendre le texte du *Cratyle* comme prétexte au développement de la pensée mimologique. Il convient ici de résumer l'argument du *Cratyle:* Hermogène prétend que les noms que l'on donne aux choses sont purement arbitraires et conventionnels; Cratyle, au contraire, affirme que chaque objet a reçu une dénomination juste qui respecte son essence. C'est donc le débat fondamental des mots et des choses qui s'ouvre sous l'arbitrage de Socrate. Cratyle est mimologiste en cela qu'il est convaincu que la parole "imite l'essence de l'objet". Les mots sont donc l'imitation ou la représentation des choses. Disons tout de suite que l'entreprise de

Genette reprend à un niveau linguistique, ce que Foucault avait élaboré au niveau des sciences humaines avec son *Les mots et les choses.* Ce n'est d'ailleurs pas un hasard si ces deux textes fondamentaux de la pensée moderne s'inaugurent à partir de Borges: Genette nous souffle vicieusement à l'oreille que son érudition scientifique rejoindrait le fantastique littéraire du célèbre argentin.

Car nous sommes en face d'un texte érudit: les noms de Nigidius Figulus, Aelius Stilo, Isidore de Séville, Denys d'Halicarnasse, Varron, Jean Collart, John Wallis, Golius, Wilkins, Watcher, Jones, Geofroy Tory, J.C. Scaliger, Francisco Mercurius, baron Van Helmont, Géraud de Cordemoy, Turgot, Lamy côtoient ceux, plus connus, de St-Augustin, Locke, Leibniz, de Brosses, Court de Gébelin, Nodier, Dumarsais, Batteux, Beauzée, Condillac, Diderot, Mallarmé, Valéry, Sartre, Jakobson, Proust, Claudel, Leiris, Bachelard et quelques autres.

Cependant, cette érudition est exploitée avec brio, humour et sans prétention. Genette montre clairement que la thèse cratyliste, de l'antiquité au début du XIXe siècle, va se confiner dans l'exploitation du mot en tant qu'unité minimale. Pour Leibniz, "il faut bien qu'il y ait quelque raison pour que tel mot ait été assigné à telle chose": c'est le concept de "motivation" qui implique un lien causal entre le son et le sens, entre le signe et la chose signifiée. Watcher et Jones vont pousser la "rêverie" mimologique vers une symbolique de l'alphabet: les lettres imitent l'organe qui les produit. De Brosses soutient que le mimétisme de l'écriture "compense et neutralise l'infidélité de la parole". Il va même jusqu'à poser les bases, provisoires, d'un alphabet phonétique qui sera l'ancêtre lointain et folklorique de l'A.P.I. Court de Gébelin pousse jusqu'à sa limite l'optimisme de De Brosses en soutenant que chaque lettre est peinture de l'objet. Cependant, avec Nodier, une cassure apparaît: il dénonce l'alphabet qui est arbitraire (il rejoint la thèse hermogéniste de la convention) mais s'enlise dans la recherche originaire des onomatopées. Il est bien conscient qu'il existe plusieurs langues et que toutes sont naturelles. Le phonème est envisagé sous l'aspect de sa capacité mimétique envers la parole.

Le débat, cependant, va changer de palier notamment avec la querelle des Anciens et des Modernes concernant la supériorité du latin sur le français. Genette retrace les grandes étapes de ce dossier où l'on voit s'articuler une opposition irréductible: d'un côté le latin représente le langage de la simultanéité et du naturel (Lamy, Condillac, Dumarsais, Batteux), de l'autre le français est plus logique, linéaire et respecte plus la démarche de la pensée (Frain du Tremblay, Géraud, etc.). On passe donc, ici, du palier du nom à celui de la syntaxe et de l'organisation des unités morphologiques. La grammaire "brise" le lien causal entre son/sens en cela qu'elle fonctionne à un niveau plus global et plus abstrait que celui des mots versus les choses. Ainsi la rêverie mimétique a perdu son objet privilégié de fantasme symbolique: le mot.

Genette montre bien comment la spéculation sur les langues indo-européennes, avec Schlegel, déplace le problème: avec la grammaire comparée, les considérations lexicales tombent au second plan. La morphologie devient le mauvais génie de Cratyle, dès lors la mimologie va quitter le terrain de la science (qui va être repris et prolongé par Saussure, Hermogène des temps modernes) pour passer à celui de la littérature.

À partir du chapitre douze, Genette va retracer ce "schiffting" mimologique à travers les textes de Mallarmé, Valéry, Sartre, Proust, Claudel, Leiris, Ponge et Bachelard. Le chapitre le plus éloquent, à cet égard, me semble être celui consacré à Leiris et à ses jeux mimologiques dans *Biffures* et, surtout, *Glossaire:* les métaplasmes de consonnes, les métathèses et les paragrammes seront les techniques rhétoriques de choix pour cet auteur qui déjà avait puisé aux sources de Desnos. Genette oublie, ici, Duchamp et surtout l'incomparable Jean-Pierre Brisset qui, un demi-siècle avant son temps, avait "mimologisé", dans son fameux *La science de Dieu*, en utilisant les mêmes artifices rhétoriques que Leiris, mais avec plus de génie, me semble-t-il. Si Brisset avait été un linguiste victime de sa paranoïa, il devenait avec Breton (c'est ce qu'a négligé de souligner Genette qui semble, malgré la préface de Foucault aux oeuvres de Brisset, parues chez *Tchou*, négliger légèrement le côté créateur de celui-ci) un surréaliste avant la lettre.

Ainsi, la distinction langue/parole va couper le débat mimologiste en deux: scientifiquement, il sera désormais impossible de soutenir la présence d'un lien magique, causal, symbolique entre le mot et la chose; littérairement, il reviendra aux auteurs de re-motiver ce lien symbolique autour de l'imagination du signe linguistique. Bachelard sera le plus habile, sous son masque de scientificité poétique, à "délirer" en ce sens. La statistique chromatique des voyelles (qui n'appartient nullement à Rimbaud, en propre) et le symbolisme des sons, nous feront comprendre, avec les "rêveries" de Bachelard, que la pensée mimologique refuse l'abstraction (d'où l'impossibilité de se défendre sur le terrain scientifique à partir de Saussure...) et s'attache aux éléments les plus "concrets" de la langue.

Gérard Genette a donc dressé ici un formidable dossier sur la parole en fonction de l'histoire des idées, de l'histoire de la linguistique pré-saussurienne, de la philosophie du langage et, même, de l'épistémologie. D'un certain point de vue, son essai constitue une généalogie critique de l'imagination symbolique en relation avec les mots. C'est donc dire que les linguistes et tous les spécialistes de la critique et de la rhétorique trouveront un livre à leur mesure. Il faut ajouter, tout de suite, que le "lecteur moyen", que nous avions injustement oublié depuis le premier paragraphe de cette recension, pourra également y trouver son compte sans trop de difficultés: il est possible de récupérer *Mimologiques* sous le mode d'une lecture fantastique. Il est même possible de penser que si Aquin avait été linguiste, *L'antiphonaire* aurait pu s'intituler *Mimologiques, Voyage en Cratylie*...

Mystique du terroir et mystification folkloriste[4]

Selon Victor-Lévy Beaulieu, il existe des "policiers du langage" qui veulent nous "passer ce sapin qui veut que nous soyons Français". Les mots, "victimes de pitoyables censeurs et d'un phénomène urbain dont les manifestations ne nous appartenaient pas", ne sont plus ce qu'ils étaient, tout comme la nostalgie... VLB éditeur endosse donc, avec son cabotinage habituel, sa bougrine, son chapeau de paille et ses bottines laquées à la bouse de vache pour nous présenter, lui aussi un sapin, avec le *Dictionnaire de la langue québécoise rurale* de David Rogers, linguiste au Royal Military College of Canada à Kingston... (sic).

Théoriquement, un dictionnaire contient tous les mots usuels employés par une entité culturelle donnée. Théoriquement aussi, la nécessité de la publication d'un nouveau dictionnaire n'apparaît pas évidente s'il ne doit innover sur ceux qui existent déjà. En regard de ces deux affirmations, il est clair que le "dictionnaire" de Rogers n'est pas un dictionnaire et que cette "chose" n'aurait pas mérité publication. Pourquoi?

Tout d'abord parce que cet ouvrage "a été établi à partir d'une lecture de romans (onze romans québécois) au cours de laquelle (l'auteur) a relevé globalement le vocabulaire qui (lui) semblait caractériser le français québécois". Nous sommes donc en présence d'un lexique (recueil des mots employés par un auteur, dans une oeuvre littéraire) constitué à partir d'un corpus si minime qu'il ne peut prétendre, en aucun cas, nous parler de "la langue québécoise rurale". Tout au plus, peut-on parler d'un *Lexique de la langue de quelques romans québécois ruraux.* La nuance est de taille si l'on considère le caractère d'exhaustivité qui doit caractériser tout dictionnaire.

Ensuite, parce qu'en regard d'un glossaire du parler d'ici (rural ou pas), le livre de Rogers n'arrive pas à la cheville de la somme incontestable qu'est le *Glossaire du Parler Français au Canada,* que nous désignerons par GPFC, et que Beaulieu désigne, dans sa préface, comme étant le normatif produit de la Société du *Bon* (c'est moi qui souligne) Parler Français au Canada: lapsus qui est au coeur même de toutes les idées incohérentes que cet auteur a défendues, autour du langage, au cours des dernières années; lapsus qui en dit long sur son incompréhension profonde de toutes les formes de taxonomie du langage.

Avant d'aller plus loin, qu'on me permette de comparer, puisque c'est la seule façon de juger d'un dictionnaire, les définitions respectives du mot *Achigan.* Chez Rogers, on lit:

Achigan: perche noire ou commune. (Voir aussi barbotte, doré.)

"Mes soeurs pêchent la truite et l'achigan".

Trente Arpents, p. 27.

Dans le GPFC, on lit:

Achigan (prononciation phonique) s.m.

Poisson d'eau douce de l'Amérique du Nord (Microptère dolomien, Lacépède)

Can. — On trouve le mot achigan dans Hennepin et Charlevoix. On dit aussi, mais plus rarement, acignan, acigan, archigan, malachigan, manachigan.

Étym. — Achigan est un mot cris qui signifie: poisson vaillant.

C'est clair et écrasant. Qu'on se dise que toutes les définitions de Rogers se retrouvent dans le GPFC (parfois mal recopiées), et en mieux, et on comprendra l'inutilité pratique de cette publication.

Sur le plan technique, il y a pire encore. C'est en vain que le lecteur pourra chercher des données sur la nature exacte des mots répertoriés: adjectif, adverbe, article, conjonction, dialecte, canadianisme, diminutif, étymologie, genre, nature des locutions, substantif, prononciation... tout cela, et j'en passe, ne semble pas être digne de mention dans le "dictionnaire" Rogers. Dans la majorité des cas, les monèmes ne sont pas définis (cela devrait pourtant être une fonction majeure d'un dictionnaire) mais encadrés, approximativement, de synonymes. Plus souvent qu'à son tour, l'auteur confond allègrement le sens générique d'un monème avec son sens contextuel qui peut émaner d'une métaphore ou d'un processus de néologisation personnel à l'auteur dont on tire le mot à définir.

Les procédés de dérivation décrits dans la préface ne sont nullement spécifiques à la "langue québécoise rurale" mais relèvent, en majorité, de ceux de la langue française classique pour ne pas dire, oh horreur, internationale! En outre, on se demande ce que des mots comme: bacon, bas, bâtisse, beigne, briser, bronchite, broche, butin, chance, chantier, chemin, éditeur de journal, encan, gazette, goélette, traverse et whist, que Barbey d'Aurevilly employait déjà en son temps sans le moindre souci de "ruralisme aigu", on se demande, donc, ce que ces mots qu'on retrouve dans le Robert ou le Littré et qui appartiennent tant par leur graphie que par leur sens à la langue française courante et trans-québécoise, viennent faire dans ce dictionnaire rural et agricole.

On pourrait multiplier les exemples à l'infini jusqu'à relier ce fameux *aubel du chemin* à propos duquel Beaulieu s'extasie en impliquant que pour cette seule expression le manuscrit de Rogers méritait publication. Or, *l'aubel du chemin* était répertorié dans le GPFC depuis... 1930!

À lire ce "dictionnaire" et à voir l'approche de Rogers qui flatte les obsessions de paranoïa policière à l'égard des mots que Beaulieu cultive, on comprend aisément l'utilité idéologique de cette publication qui veut véhiculer le mythe du Terroir, le salut par l'agriculturalisme-rétro et la mystique du folklore.

Or, malheureusement pour VLB et Rogers, la confection d'un dictionnaire doit répondre à des exigences scientifiques précises qui relèvent de la lexicographie et non de l'idéologie. Le lexicologue n'a aucun rôle normatif: sa tâche réside dans la compilation la plus complète possible. Pour n'avoir pas fait la différence entre un lexicologue et un grammairien, VLB aura publié un mauvais linguiste qui confond "prescription normative" avec rigueur technique.

Le "dictionnaire" de Rogers est un gadget pour gens pressés qui n'ont pas l'amour des mots. C'est surtout, et c'est là le plus grave, un outil de référence mal construit qui n'a aucun souci de professionnalisme. À cet égard, Rogers traite les mots de la langue française comme le faux antiquaire traite un meuble neuf, en le vieillissant artificiellement, pour en faire une pièce d'époque: la preuve de l'essence rurale d'un mot n'est pas facile à faire même si l'on se sert d'un contexte lexical très folklorisé.

VLB, avec son *Dictionnaire de la langue québécoise rurale*, veut nous vendre une pièce en étoffe du pays, mais elle est complètement frelatée.

Décidément, *Cayousse* n'est pas près de mourir. Qu'est-ce que *Cayousse?* Rogers, dans son lexique, nous dit: "Bête résistante, maigre et adaptée au pays". Comme on le voit, cette définition est "maigre" et, à tout prendre ou à tout fourrer dans le même mot, on pourrait supposer, sans prescription normative, que *Cayousse* est le Dieu de la médiocrité de l'édition québécoise...

Louis-Paul Béguin de l'étymologie à l'idéologie[5]

Louis-Paul Béguin fait sans doute partie de ces travailleurs obstinés de la lettre, de ces érudits tendrement maniaques qui vous cherchent noise pour l'oubli d'une virgule, l'emploi d'un barbarisme ou l'usage ignorant d'un "calque". Modestes Sisyphes qui nous font comprendre que l'Esprit vient aux hommes lorsqu'on s'avise de cultiver la passion de "la" Lettre.

Je crois qu'on peut dire, avec Claude Ryan, que Béguin est un humaniste "prévenu contre certains excès doctrinaires, qui évite de "poser à l'expert qui sait tout et a seul raison". Humaniste, il l'est comme l'est aussi Jean Éthier-Blais: entendons qu'ils préfèrent tous deux Racine ou Anatole France à Barthes ou Ricardou. Pourtant, moins élitiste donc moins monarchiste qu'Éthier-Blais, bref, plus démocrate, Béguin a le talent rare et ambigu de plaire à tout le monde.

Le succès remporté par sa chronique du *Devoir*, *Au fil des mots*, en fait foi. Réunissant les meilleurs articles en un volume, les éditions de *l'Aurore* nous offrent un document de près de trois cents pages où l'on peut relire d'une seule traite des billets qui, lus séparément, perdaient de leur impact. Le billet quotidien, en effet, consommé avec le café du matin ou dans la cohue de "l'heure de pointe" métropolitaine, s'oubliait vite, même s'il amusait ou éduquait: il n'était qu'une brique isolée. Avec *Un homme et son langage* apparaît tout l'édifice ou, si l'on préfère, tout l'homme avec son système de valeurs.

On s'étonne, une fois le livre fermé, de constater qu'il existe deux Béguin. Il y a d'abord le Béguin technicien-de-la-langue qui, flattant notre paresse naturelle et notre manque de dictionnaires, va quérir au pays des étymons, de la grammaire et du *Journal Officiel de France* tous les renseignements relatifs au bon usage de la langue française en terre québécoise. Ce Béguin là est toujours sympathique puisqu'il nous aide à "purifier" notre moyen de communication collectif. C'est sans doute ce même Béguin que des milliers de lecteurs et de correspondants ont toujours loué et vu. Évitant les anathèmes irréductibles et les censures trop brutales, il nous donne bonne conscience en nous prouvant que le mot juste, contrairement à l'insaisissable noumène kantien, est toujours à notre portée. C'est le Béguin des chapitres suivants: *Un homme et son langage, De la langue des sciences* et de *Les mots et leur histoire;* le Béguin de la linguistique, donc de la syntaxe, de la lexicographie et de l'étymologie, sciences presque exactes et qui, comme toutes les sciences, veulent nous faire oublier qu'elles sont dans l'Histoire et qu'elles ont des assises idéologiques.

Il y a ensuite, et seule une lecture diachronique, favorisée par l'épaisseur d'un livre et du temps de lecture qu'il exige, nous permettait de l'entrevoir, un Béguin de l'idéologie qui se révèle beaucoup moins innocent qu'on aurait pu le supposer à première vue. C'est un Béguin libéral, démocrate, un honnête homme cultivé et éclairé qui défend férocement, pour ne pas dire d'une façon extrémiste, la part du juste milieu au niveau du langage.

Le dialecte créolisé, tout comme l'hermétisme des "nouveaux précieux", sont, sur un ton doucereusement agressif, réprouvés. À cet égard, le chapitre intitulé *Après Saussure: réflexions sur la langue,* constitue un bel exercice de nivellement par le bas où l'on fait le procès arbitraire et pas toujours bien documenté de gens comme les "structuralistes", les "linguistes horizontaux" (sic), Barthes, Lacan, Chomsky, Althusser, Lévi-Strauss, Foucault, etc. Ces procès, d'ailleurs, ne s'attaquent que de l'extérieur aux auteurs incriminés, Béguin ne retenant que le "jargon" de ceux-ci sans jamais se soucier de voir s'il n'y a pas une justification interne de ce vocabulaire à l'intérieur des oeuvres: ici, le spécialiste de la lettre passe à côté de l'esprit. Martinet aura gain de cause contre Jakobson, Lacan, "qui n'arrive pas à formuler des phrases claires", donc, qui pratique un écart stylistique trop violent, et Barthes, qui complique tout au sujet de *Phèdre,* sont marginalisés. Dans une naïve vision d'une clarté pour tous, Béguin rêve de "traduire" les auteurs difficiles.

C'est ici que Béguin cesse d'être un linguiste pour devenir un grammairien et un porte-parole d'une majorité silencieuse qui ne veut pas se casser la tête avec les raffinements de la pensée abstraite. On commence à comprendre, dès lors, la popularité de Béguin auprès du "grand public". C'est la popularité qu'ont connue de tout temps tous les défenseurs de Monsieur-gros-bon-sens. Étrange attitude pour un linguiste que cette norme du juste milieu et que cette langue pour tous, claire et faite de phrases courtes. Comment peut-on sérieusement admettre qu'il y ait des niveaux de langue et refuser les écarts qu'ils supposent? Lacan n'est pas clair? Pour qui? Barthes est abscons? Et qui me dit que Louis-Paul Béguin n'est pas obscur pour mon livreur de pizza? Béguin nous affirme que "le français est à l'aise dans l'abstrait". Pourquoi, alors, ironiser sur une utilisation abstraite du langage? Certes, il est facile d'être clair sur un menu de restaurant ou de "corriger" la raison sociale d'un commerce. Mais, le problème de Béguin c'est qu'il ne semble pas faire la différence entre la page d'un menu et une page de Heidegger.

Ce n'est pas un hasard si Béguin nous parle de "cette mauvaise habitude de se droguer" ou de ces "tentatives malheureuses" de ceux qui "s'adonnent aux hallucinogènes" dans des chroniques qui sont, en principe, consacrées au langage. C'est que derrière le grammairien se trouve le moraliste qui défend et illustre la philosophie du juste milieu. L'homme du juste milieu parle simplement, clairement et agit de même. L'homme du juste milieu se sert "d'une langue universelle" car, en cela, "c'est ne jamais se tromper". D'ailleurs, nous dit l'auteur, "le français est, de par sa nature, clair. Il aime l'ordre"... Or, cet ordre-là, cet universalisme-là, cette clarté-là, nous viennent tout droit de l'époque classique que Béguin, tout comme Éthier-Blais, aime tant (retenons la coïncidence); c'est l'utopie triomphante du *Discours sur l'universalité de la langue française* de Rivarol, ce Gobineau des langues.

Ainsi, sous des airs doucereux et bon enfant, Louis-Paul Béguin tombe, à son tour, dans les chausse-trappes de ses prédécesseurs. Sa norme linguistique, sa clarté, son juste milieu ressemblent étrangement à l'ordre et au juste milieu qui sont les tartes à la crème de la petite bourgeoisie à laquelle s'adresse Béguin. La petite bourgeoisie n'aime pas, elle non plus, les écarts: écarts des "hard drugs" (drogues fortes), écarts des "hard core" (films cochons où l'on voit "toutte" avec vulgarité), écarts des "hardware" (menace du machinisme et prise du pouvoir des ordinateurs sur les hommes), écarts de langage (Plume sera toujours vulgaire pour la petite bourgeoisie). Bref, il existe une adéquation parfaite entre Béguin et son public, entre son discours sur la langue qui est un discours de classe qui se veut transhistorique et qui est apparu vers la fin de la révolution française avec l'idéologie que l'on sait. Louis-Paul Béguin joue, avec ou sans lucidité (il appartient à lui de nous le dire), le rôle de "grammairien d'office" attaché à une classe sociale bien déterminée. Ni les classes laborieuses, ni les intellectuels ne connaissent d'utilité pour ces thuriféraires du bien-dire.

Là où l'idéologie de Louis-Paul Béguin est la plus désastreuse, c'est au niveau de sa compréhension de la littérature en tant que manifestation de la langue. On l'a vu, Béguin n'a jamais la maladresse de défendre ouvertement la norme (ce qui l'a fait passer pour plus libéral que ses prédécesseurs): il condamne simplement les écarts. Il repousse l'idée de dialecte créolisé, les sophistications hermétiques et les excès de rhétorique. Or, la littérature acquiert sa force sinon sa raison d'être dans la pratique de l'écart stylistique quant au code. Si les écrivants ne peuvent qu'aimer et approuver les prescriptions linguistiques de Béguin, les écrivains, pour leur part, n'y peuvent trouver leur compte.

La meilleure preuve de cette ultime incompréhension se trouve confirmée lorsque l'auteur énonce son "art poétique" idéal quant au style littéraire, toujours dans le ton du juste milieu: "Il faut éviter les efforts de rhétorique (...) qu'on emploie des mots simples, qu'on fasse des phrases courtes (...) Peu d'inversions, peu de cascades (tous ces "qui" et "que" qui se succèdent dans la respiration d'un point)"... Que d'écrivains balayés du champ littéraire d'un seul coup! À commencer par un certain Marcel Proust que l'auteur prétendait apprécier, quelques pages plus haut... Faut-il insister davantage?

Béguin, somme toute, répond à un besoin d'une certaine majorité et reste brillant dans la mesure où il ne s'éloigne pas trop de sa vocation historico-étymologique.

Entre les deux Béguin, il nous faut choisir le meilleur.

Maspéroïsme et créole[6]

Depuis quelques années, la gauche ne nous a épargné aucune révélation. N'importe qui sait, maintenant, que tout est idéologique et, partant, politique. Avec l'aide de certains écrivains contestataires, nous comprenons qu'il y a une façon de voir la réalité et que cette façon rejoint le procédé, à telle enseigne qu'on peut pasticher les recettes et faire dans la "gauche" comme on fait un best-seller. À cet égard, les éditions Maspéro deviennent les premiers fabricants en série de ces "TV dinners" subversifs. On peut appeler maspéroïsme cette façon d'exploiter la réalité et le texte à partir d'un outillage conceptuel que l'on connaît que trop déjà: luttes de classes, dominant/dominé, bougeoisie, prolétariat, discours ou idéologie dominants, colonialisme, assimilation, répression, pouvoir, capital, etc. La chorégraphie lexicale marxiste entre dans sa phase entropique en devenant surtout une rhétorique, praticable même par les moins habiles. Il suffit de connaître le "vocabulaire", de trouver le petit ton "agressif" qui ne trompe pas: le maspéroïsme fleurit là où agonise le jasminisme.

Si j'évoque le phénomène du maspéroïsme au sujet de *La langue créole, force jugulée* de Dany Bébel-Gisler, qui n'est pas publié chez Maspéro, c'est que ce livre et son auteur se situent dans le même contexte idéologique et scripturaire que l'on retrouve dans les publications de cet éditeur marxiste parisien. Dany Bébel-Gisler revendique d'ailleurs, explicitement, le parrainage spirituel de quelques penseurs maspéroïstes tout au long de son essai.

Partant de la situation particulière des Antilles françaises (Guadeloupe et Martinique), l'auteur se propose d'étudier le phénomène de la langue créole en tant que dimension de la domination économique, politique, sociale et culturelle française. Par le biais de la sociolinguistique, les rapports entre le langage et le pouvoir, le politique et l'idéologique doivent être démontés par l'auteur.

Dès l'introduction, Bébel-Gisler s'empresse de camper les assises méthodologiques et théoriques à partir desquelles elle se propose de travailler. La linguistique classique, en tant que science, apparaît à l'auteur comme une sombre fumisterie. Les concepts de langue/parole et compétence/performance sont relégués, de même que leurs auteurs Saussure et Chomsky, aux oubliettes. L'auteur semble remettre en question le bien-fondé d'un code global et abstrait comme modèle opératoire et se rabat sur Labov qui préconise une linguistique réduite à des variables psychologiques et sociales. Le procès de la linguistique classique est sommaire et l'auteur cite des "théoriciens" de la sociolinguistique avec l'empressement typique des gens qui sont plus intéressés à évoquer les grands noms, avec les arguments d'autorité qu'ils véhiculent, que d'analyser en détail les systèmes qu'ils sous-tendent. Visiblement, Bébel-Gisler n'est pas à l'aise dans le champ théorique.

S'ouvrant, pour ainsi dire, les portes de trop de disciplines (ethnologie, psychologie, sociologie, rudiments de linguistique appliquée, histoire) Dany Bébel-Gisler s'engage dans l'étude du problème antillais en se privant elle-même d'une analyse globalisante et significative. Le chapitre le plus solide demeure celui où les composantes socio-historiques de la formation des Antilles françaises sont analysées, avec la description de tous les processus d'intégration esclavagiste et des "déviances" autonomistes qu'elles supposent. Très tôt, "la langue française apparaîtra et sera donnée comme force attractive, excentrant l'Antillais hors de lui-même". Ce "lui-même" c'est sa langue, c'est-à-dire le créole.

L'auteur ne s'attardera guère sur l'étude proprement linguistique du créole, au grand étonnement du lecteur, puisque l'enjeu de l'essai repose sur le fait de savoir si les Antilles subiront encore longtemps le fascisme idéologique, économique et linguistique de la France. On doute, contre l'auteur, que le créole "résiste à la classification génétique ou typologique"... Pour l'auteur, la problématique antillaise se résume à ceci: il y a une langue officielle, noble, qui est à l'image de l'État colonisateur, le français. Il y a une langue officieuse, sale, qui est la résultante du colonialisme français, le créole. On impose le français contre le créole et l'auteur implique: on tue la vraie âme des Antillais qui ne sont que des grands enfants perdus dans un cercle vicieux tiers-mondiste.

L'école, dans ce contexte ou cette vision douteuse où l'on s'ingénie à montrer une dramatique des origines et à flatter les processus d'identification nationale à partir de l'immanence territoriale greffée sur un dialecte vacillant, n'est qu'un "instrument de lutte de classe idéologique au service de la bourgeoisie". On reconnaît le ton et, dès lors, le français en tant que langue devient la bête à abattre. L'auteur semble s'étonner qu'une langue soit un instrument de normalisation et de régulation sociale. Classe sociale (bourgeoisie) et norme linguistique (code) sont étrangement confondues. Comment peut-on oublier que la loi linguistique est comme la loi tout court?: elle régularise, contraint et favorise une opérationalité interpersonnelle; les citoyens en sont, à la fois, victimes et bénéficiaires.

On voit les enjeux d'une telle approche où les arguments linguistiques sont confondus avec les données émotives du phénomène créole. Il ne faut pas voir du politique et de l'idéologique là où il n'y a que de l'opérationnel. La seule vraie justification d'une langue donnée c'est qu'elle "marche" dans une collectivité donnée. La marginalisation linguistique n'est qu'un phénomène arithmétique. Les Antilles pourront choisir le créole "contre" le français ou l'impérialisme de la francophonie: ils seront néanmoins condamnés au bilinguisme français/créole.

En dernière analyse, on se demande à qui s'adresse un tel ouvrage. Aux scientifiques de la linguistique? C'est peu probable vu la nullité de l'exploitation de cette discipline dans l'ouvrage de Bébel-Gisler qui veut faire "savant" et qui s'enlise très vite dans le réquisitoire polémique et la statistique impressionniste. Aux autorités françaises? C'est irréaliste puisque la solution du problème ne peut venir que de la colonie. Aux Antillais? Peut-être, mais alors pourquoi ne pas travailler sur le terrain plutôt que d'écrire en français standard, langue sur laquelle, nous dit l'auteur, les "autres" Antillais devraient cracher. Un essai qui veut concilier les crédits universitaires avec les bonnes intentions de solidarité, lointainement vécues de Paris, la métropole castratrice?

Dany Bébel-Gisler me fait penser à ces opportunistes petits-bourgeois qui se servent de la problématique d'une classe donnée pour se faire valoriser auprès d'une autre. Le coup nous a déjà été fait ici, il y a quelques années, par le camarade Léandre Bergeron qui réclamait, lui aussi dans le français le plus bourgeoisement standard, une "grammaire jouale" afin de libérer la force révolutionnaire de la classe ouvrière québécoise... Le créole, comme le joual, c'est bon... pour les autres, pourvu que l'on s'en sorte soi-même!

Il ne faut pas s'y tromper: les porte-parole ne sont trop souvent que des gens qui, incapables d'assumer ouvertement leur individualisme et leur "ego trip" feignent de se sacrifier aux causes collectives pour lesquelles ils se croient mandatés. Ils se réservent le droit d'être les seuls élus des nombreux appelés dont ils se sont allègrement servis.

Femme et écriture[7]
Une problématique rose bonbonne?

Le féminisme est un sujet brûlant à telle enseigne qu'il brûle même les quelques mâles qui osent s'en approcher. Pour tout homme, il faut admirer inconditionnellement ou se taire; le discours critique lui est refusé. Qui est contre le féminisme est fatalement un mâle fasciste. Il y a là un écueil théorique et pratique qui confine au silence. Tel un Ponce Pilate, je m'empresse de m'entourer d'une précaution oratoire avant de tenter de faire la recension de la *Rencontre québécoise internationale des écrivains* qui eut lieu à Montréal du 3 au 8 octobre 1975 et qui vient d'être publiée dans le dernier numéro de la revue *Liberté*. Ma vision des choses ne pourrait être que biaisée: écrivant au *Devoir*, étant homme, il est fatalement établi, d'ores et déjà, que je représente le discours-dominant-logo-phallocentriste de la brute chauviniste (Male Chauvinist Pig, disent amoureusement nos consoeurs du sud) qui a toujours oppressé et continue d'oppresser cet "objet regrettable", comme le dira Yves Navarre, qu'est la femme.

Regroupant plus de 30 écrivains de plusieurs pays, cette nième rencontre proposait le thème de la femme et l'écriture: évidemment, femmes il y avait et écrivains (ou devrais-je dire écrivaines?) en plus. En tout, six séances où, pour chacune, les invités faisaient part de leurs positions respectives sous l'oeil parfois amusé, parfois agressé, d'un ou d'une présidente d'assemblée, toutes suivies de discussions de groupe.

Qu'y a-t-il à retenir de ces interventions et de ces milliers de commentaires? L'effort de synthèse défie ici mon faible logocentrisme. Pour une Nicole Brossard qui découvre qu'elle a un corps à trente ans et qui n'en revient pas de transgresser à tous vents, l'écriture féminine doit lever l'interdiction qui pèse sur le corps féminin pour ne pas dire lesbien: "pour la femme, écrire consiste à décoller de son corps". Annie Leclerc, par contre, prétend que les femmes ont un corps. Yves Navarre, pédéraste avoué, considère que l'être écrivant n'est ni homme ni femme ou qu'il est les deux à la fois. Cette position androgynale lui vaudra beaucoup de pointes agressives dans cette assemblée engoncée dans sa féminitude à tout prix. Si Maria Isabel Barreno se demande s'il s'agit, pour les femmes, de "faire comme les hommes", Noëlle Chatelet avouera ne s'être jamais posé la question de la femme et de l'écriture et, pire encore, dira ne pas savoir ce que c'est que d'être femme. Oh horreur du groupe qui occulte très vite cette intervention peu orthodoxe! "Tout homme se projette fantastiquement (ne serait-ce pas plutôt "fantasmiquement"? c'est probable, vu le nombre affolant de coquilles dans ce numéro) dans la femme et toute femme dans l'homme" dira-t-elle encore en suggérant une réinvention de l'écriture en termes de bisexualité ludique.

Très vite se dessineront les antagonismes, les clans: Navarre, Linhartova, Chatelet, Paradis, Delay, Gagnon et Saint-Martin défendront le thème du point de vue du sujet écrivant d'abord: chez eux, pas de féminisme outrancier où les lieux communs de l'oppression sont ânonnés sans véritable analyse. Significativement, dès qu'il se dit quelque chose qui n'est pas strictement féministe, le reste du groupe gomme ou fulmine. J'en prends pour preuve l'intervention de Fernande Saint-Martin qui constate que le thème de la rencontre pose les problèmes insolubles de la circularité et qui précise: "La femme peut-elle inventer de toutes pièces de nouvelles mathématiques, de nouvelles psychologies, de nouvelles sociologies, un nouveau langage verbal qui repartirait à zéro, sur de nouvelles bases féminines cette fois...?" Et l'auteur de parler d'utopie féministe. Le "discours savant" de Saint-Martin est vite relégué aux oubliettes d'abord parce qu'il dérange tout le monde et ensuite parce qu'elle "pense comme un homme"...

Celles qui oublient ou qui ne veulent pas voir ne se privent d'aucune des scies du féminisme le plus retardé: la femme est un pauvre petit être opprimé car le Pouvoir et l'Oppression ce sont les hommes; la science, c'est les hommes; le logocentrisme, c'est les hommes; l'Histoire, c'est les hommes et évidemment, l'éternelle victime d'une "société qu'elle n'a pas faite", c'est la femme.

Il y a aussi des perles qu'il faut souligner: cette Michèle Perrin qui nous parle du sexisme de la langue française est impayable. Le point d'interrogation n'est-il pas le symbole humiliant d'une femme enceinte qui marche sur la tête? Socrate l'avait compris, féministe avant la lettre, lui qui prévilégiait les vertus de la question: sa maïeutique faisant accoucher les esprits des pensées qu'ils contiennent. Mimologiste sans le savoir, comme Jourdain avec sa prose, Perrin nous fait passer, sans douleurs c'est le cas de le dire, de la typographie à l'obstétrique. Et le point d'exclamation n'est-il pas, évidemment, le symbole phallique par excellence? À moins que ce ne soit la même femme qui marche sur la tête, une fois son accouchement terminé! Cette autre "rosa" qui préférerait donner sa recette de soupe aux poivreaux plutôt que de théoriser n'a d'égal que cette bonbonne-intellectuelle qui tricote en se sentant toute chose. Typiquement féminin ce manque d'humour ou de cynisme face à l'intervention d'Herbert Gold qui aligne, sous forme de fable, tous les clichés de la féministe de trente ans qui divorce pour mieux tomber dans son trip de la lesbienne libérale prête à sauver tous les opprimés de la terre: les autres femmes, les Peaux-Rouges, les noirs, les Palestiniens et... les baleines.

Mon ironie est grosse et je pèche sans doute par excès de caricature: en cela je suis sur la même longueur d'ondes que l'esprit de ce colloque, qui s'avoue un échec face à la problématique de la femme et de l'écriture, et j'affirmerai, aussi naïvement que Christiane Rochefort "qu'on me pousse au manichéisme".

Tout s'est passé comme si les femmes invitées n'étaient pas vraiment intéressées par le thème du colloque. L'important, c'était d'être ensemble et de bletter à hue et à dia. Qui s'est appliqué à définir ce que pourrait être une écriture féminine? Y a-t-il une symbolique, un imaginaire féminins? Les formes, en art, sont-elles masculines ou féminines? Un sonnet a-t-il un sexe? On dit *un* concept, *une* idée: faut-il en déduire que l'un est masculin, l'autre féminine? Les romans à structure circulaire de Queneau sont-ils féminins? La mise en abyme chez Borges est-elle masculine? L'univers fictif de Bataille, qui plaît tant aux femmes et dont je n'aurai pas la méchanceté de dire pourquoi, est-il féminin? L'ordre de structuration d'un discours, l'angle de traitement du langage sont-ils sexués? etc., etc. Aucune de ces questions qui sont directement reliées au sujet du colloque, n'a inquiété ces femmes-écrivains.

Navarre le soulignera à maintes reprises et on ne lui pardonnera pas: ici, on parle de tout sauf de la femme et de l'écriture. Florence Delay avouera: "nous n'avons cherché ensemble aucun éclaircissement". Annie Leclerc renchérira: "c'est pas pour dire, mais on s'est un peu embêté". Et Hélène Ouvrard: "nous n'avons pas réussi à trouver un mode de communication qui nous convienne". Traduisons: la structure mâle-répressive que les organisateurs de la rencontre nous ont proposée ne nous convient pas, la discussion théorique nous ennuie et nous pataugeons en grand.

Le spectacle de cette jasette monumentale où pas une fois le souci de l'analyse et de la synthèse ne s'est fait ressentir efficacement, à part de rares exceptions, nous convainc de l'impossibilité de cerner une problématique donnée sans un effort de construction théorique. Ce "patchwork" impressionniste nous incline à penser que cette rencontre se rapproche d'une dynamique de groupe où les vrais enjeux ont été tenus sous silence, faute de rigueur intellectuelle ou, pire encore, faute d'honnêteté.

Comme toutes les dynamiques de groupe, celle-ci fut sans doute plus intéressante à vivre qu'à observer et plus intéressante à observer, in vivo, qu'à lire. Le vécu immédiat tolère facilement les redites et les tournages en rond. La version imprimée aurait mérité des épurations. Étrangement, je ne me suis jamais ennuyé à lire les colloques de *Cerisy-la-Salle* et je m'apprête à jouir du dernier qui vient d'être consacré à Jean Paulhan.

Mais ça, c'est une autre histoire...

PSYCHOGRAPHIES

Réginald Hamel et Gaëtane de Montreuil[8]

Ces temps-ci, les habitués de la rue Saint-Denis, s'ils s'attardent quelque peu devant la fenêtre-vitrine des éditions de l'Aurore, verront la photographie agrandie d'un motard vieillissant dont l'image ne cadre pas tout à fait avec notre conception "hell angelienne" de cette catégorie de gens. Ce délinquant un peu trop propre, c'est Réginald Hamel. Un peu en retrait, à sa droite, on aperçoit sur une pochette de livre le regard tristement vide de Gaëtane de Montreuil. Il est troublant pour l'esprit de rappeler que cette journaliste de la presse féminine du début du siècle a demeuré dans les locaux actuels des éditions de l'Aurore. Il est plus troublant encore d'imaginer que Gaëtane de Montreuil a dû regarder à cette même fenêtre qui encadre aujourd'hui Réginald Hamel: leurs regards mutuels, figés dans le temps, se surimpressionnent l'un l'autre pour nous rappeler la pérennité du temps.

Un peu plus tard... Gaëtane de Montreuil, en butte avec son fils et traînant derrière elle un mauvais procès avec l'Imprimerie Populaire (et oui, *Le Devoir* a dû composer avec elle!) élira domicile au 4250 Henri-Julien à Montréal. À cette époque, mai 1951, mes parents emménageaient à quelques pieds de là, dans un quartier déjà miné par la grisaille et la misère des classes dites laborieuses. Le 24 juin de la même année, pendant que la ville fête la Saint-Jean-Baptiste, Gaëtane de Montreuil, à l'âge de 86 ans, meurt seule dans son logement situé en haut d'un restaurant-du-coin typique de ces quartiers. On ne découvrira son corps que plusieurs jours après. Je me trouble à penser que je jouais peut-être à quelques pieds de l'agonie silencieuse de cette femme de lettres. Nous étions peut-être à la Saint-Jean. Et pourtant, ne suis-je pas allé "chez Doucet", en bas, le lendemain ou le surlendemain, afin de dépenser quelques "cennes noires" d'éphémères friandises dont la douce odeur se confondait, étrangement, avec le fumet d'un cadavre pourrissant? D'un certain point de vue, la mort de Gaëtane de Montreuil me fascine.

D'un autre point de vue, celui de Réginald Hamel, la vie même de Marie-Georgina Bélanger demeure fascinante. Le dernier livre du professeur Hamel se situe irrémédiablement dans la veine de l'histoire littéraire la plus orthodoxe: la chronologie et les faits biographiques y ont une place de choix. L'ouvrage se divise en trois grandes parties: *La vie et la carrière de Gaëtane de Montreuil, L'oeuvre de Gaëtane de Montreuil, Appendices et Bibliographie.*

Les premières lignes de cette biographie littéraire rappellent le ton obstinément érudit de Gilbert Lely avec son *Vie du Marquis de Sade.* Hamel ne va-t-il pas fouiller les registres les plus possiéreux pour remonter jusqu'à la huitième génération de Gaëtane de Montreuil, née Bélanger? Armé de références, de documents, de confidences, d'enregistrements et de patience têtue, quoique maniaque, Hamel nous retrace dans le menu détail toutes les péripéties de la vie tumultueuse de Marie-Georgina Bélanger, obsédée par sa “mégalomanie nobiliaire”.

Comme toute provinciale (elle est née à Québec), elle est arriviste et décide de conquérir Montréal aux débuts du siècle. Très tôt intégrée dans les pages féminines de *La Presse,* elle partage ses talents entre des chroniques et un courrier du coeur. Attirée par les poètes de l'*École littéraire de Montréal,* elle publie ceux-ci dans sa page et épouse Charles Gill pour prendre conscience de l'ignominie de ce triste poète, plus coureur de jupons que véritable écrivain. Abandonnée et vivant seule avec son fils, elle tentera de refaire sa vie en Californie pour mieux revenir à Montréal où elle finira sa vie dans des conditions plutôt malheureuses. Entre une forme de journalisme où les valeurs du trône et de l'autel seront défendues et les croisades de la fin de sa vie dans des mouvements aussi farfelus que *Les Filles Natives du Canada* et *L'Union des Gens de Chez-nous* elle trouve le temps d'écrire quelques romans, beaucoup de nouvelles et de rares poèmes.

La seconde partie fait état de l'oeuvre de Gaëtane de Montreuil. Hamel se montre plutôt froid, sinon réaliste: somme toute, Gaëtane de Montreuil n'a jamais osé se mettre en infraction spirituelle avec son temps et son milieu. Pour son roman, *Fleur des ondes*, Hamel souligne: "sans unité structurale, sans unité de composition, le roman *Fleur des ondes* ne débouche sur aucune signification profonde". Bonne journaliste mais piètre écrivain: "Gaëtane de Montreuil n'a pas le temps matériel de se livrer à ce lent et sourd travail d'élaboration, d'où jaillit tôt ou tard, chez celui que tenaille la fièvre de composer, l'inspiration authentique". Les poèmes?: "On chercherait vainement un acte créateur, au sens précis du terme, dans toutes ces poésies". Que ce soit avec *Fichu rose*, *Destinée*, *Fleur des ondes* ou *Les rêves morts*, l'univers onirique de Montreuil s'alimente à des clichés abondamment ressassés par Fréchette, Pamphile Le May ou Chapman.

Tout compte fait, ce sont les *Appendices* et la *Bibliographie* qui constituent l'aspect le plus positif du travail de Réginald Hamel. Visiblement, ce chercheur acharné qui a déjà fait sa marque ici et en France (il a même laissé son nom au célèbre fichier de l'Université de Montréal) prend toute sa mesure dans ce que l'on pourrait appeler le génie bibliographico-compilatoire, génie qui frise, parfois, le délire. On se surprend à penser que Gaëtane de Montreuil ne méritait pas qu'on lui ait accordé tant d'heures, compte tenu de son réel talent et de sa réelle importance dans l'histoire de nos lettres. Il se peut que le "cas Montreuil" n'ait été qu'un prétexte pour Hamel qui a d'abord et avant tout la passion du fichier: d'un point de vue strictement littéral, Réginald Hamel s'est "fiché" de Montreuil...

C'est ici, sans doute, le plus grand paradoxe de ce livre qui est tout orienté vers Gaëtane de Montreuil et qui ne cesse de faire la preuve qu'elle n'était pas si importante malgré tout... sinon par les traces qu'elle a laissées et qu'il fallait bien "classer" un jour. Il y a un net déficit entre la précision technique de l'approche de Hamel et la banalité de cette journaliste de seconde catégorie. Mais il faut comprendre que ce déficit est inhérent à la méthode bibliographique: il n'est pas nécessaire qu'un écrivain soit esthétiquement valable pour qu'il ait sa place au firmament d'un centre de documentation. Pour le bibliographe, n'importe qui peut faire l'affaire "pourvu qu'il ait laissé des papiers".

En ce sens, Réginald Hamel est sans doute conscient des avatars de sa méthode. J'en prends pour preuve qu'il a évité de créer un mythe Montreuil alors que c'eût été si facile. À cet égard, il devance et annule la récupération et la propagande féministes dont aurait été victime Gaëtane de Montreuil. J'imagine sans peine une édition de *Femme d'aujourd'hui* se faisant fort de "découvrir", face à une inconditionnelle et béate admiration de ses destinataires, cette "femme de lettres hors pair", cette "pionnière incomparable"... etc.

Le *Gaëtane de Montreuil* de Hamel demeure une pièce importante dans "l'historiographie canadienne de langue française" et il témoigne d'une méthode de compilation qui n'a pas d'égal ici. Cependant, combien d'années de recherches (Hamel est sur ce dossier depuis au moins 1962!), de recoupements, de classifications pour une si piètre récolte? Un Berthelot Brunet n'aurait-il pas mieux couronné la fouineuse passion de Réginald Hamel?

D'un certain point de vue, la mort de Gaëtane de Montreuil me fascine. Mais une telle fascination n'est-elle pas tributaire de l'ouvrage du professeur Hamel?

Au sujet de Claire Martin

Je crois bien que le public lecteur du Québec commence à oublier un écrivain qui a fait sa marque entre 1960 et 1970: il s'agit de Claire Martin. Il est vrai que nous sommes trop souvent durs envers ceux qui nous ont "trahis": il est vrai que "trahir" veut dire, ici, s'exiler à l'étranger, soit en France, soit ailleurs. Ainsi des gens comme Gérard Bessette, Anne Hébert, Marie-Claire Blais et Claire Martin, du seul fait de leur éloignement, perdent de leur force d'impact dans notre "grenouillère littéraire"... Il est vrai, également, que Claire Marin a peu produit depuis 1970 et que le succès scandaleux de *Dans un gant de fer* s'est prodigieusement émoussé avec le sprint des années soixante-dix et la génération de *Mainmise*.

Robert Vigneault ressuscite donc un peu la gloire éteinte de Claire Martin avec une étude parue au *Cercle du livre de France* qui s'intitule: *Claire Martin, son oeuvre, les réactions de la critique*. Il faut dire, d'emblée, que le projet de Robert Vigneault est complexe: il veut saisir l'oeuvre et la femme en relation avec une certaine évolution du Québec. Il dira, dès le début, que "les structures de nos romans sont homologues à celles de la société québécoise". Cette piste socio-critique est cependant mal étayée et le charme discret du livre de Vigneault réside plus dans un ton volontairement "honnête-homme-cultivé-qui-ne veut-pas-se-casser-la-tête" que dans une véritable approche critique théorique. Il se veut volontiers "délesté du jargon qui encombre souvent la critique d'aujourd'hui" et refuse ce "formalisme de stricte observance qui s'évertue à déshumaniser les textes littéraires". Voilà donc un beau paradoxe pour un professeur d'université qui n'hésite pas, quelques pages plus loin, à citer à la barre des témoins nul autre que Todorov, formaliste avoué, afin d'étayer le point de vue du vraisemblable en regard des *Mémoires* de Claire Martin...

Somme toute, l'approche de Vigneault est sympathique, même si elle manque parfois de rigueur dans l'analyse de l'oeuvre. Les chapitres les plus révélateurs me semblent être ceux où l'auteur nous fait voir le caractère spécifiquement narcissique des amours "martiniennes". Les personnages de Claire Martin sont condamnés à fuir le réel et à éviter le véritable défi de l'altérité dans l'expérience de l'amour. L'auteur cite, avec justesse, le concept d'idéalité de l'autre cher à Denis de Rougemont.

Le thème du père est peu développé qui, pourtant, aurait mérité de l'être. Le chapitre cinquième, intitulé *La critique québécoise en ébullition*, fait ressortir le cocasse des commentaires critiques de l'époque face à l'oeuvre de Claire Martin. On y apprendra qu'il y eut le "scandale des bien-pensants" contre le fameux *Dans un gant de fer:* Fernande Saint-Martin et Clément Locquell n'hésitèrent pas à traverser le pont aux ânes d'une critique qui a mal défini sa typologie des genres en regard d'un certain réalisme littéraire. Les *Mémoires* sont littéraires, donc rhétoriques avant que d'être réalistes ou vrais. À la défense de Claire Martin, on relira avec plaisir, les interventions de Céline Légaré, Alain Pontaut, Michel Bernard, André Major et quelques autres. Cette anthologie du journalisme littéraire ne manque pas de piquant et d'à-propos.

Le chapitre sixième reprendra, toujours en regard de l'oeuvre de Claire Martin, l'éternel débat de la littérature "régionaliste" contre une littérature "exotique". Certains critiques auront vu dans l'oeuvre de Claire Martin le refus d'un enracinement véritable. Y a-t-il une Claire Martin universelle, y a-t-il une Claire Martin québécoise? Vigneault pense qu'il y a des deux. Il faut voir que si le véritable écrivain a comme devoir de respecter *la* langue, il ne doit pas, pour autant, faire serment d'allégeance totalitaire à *un* niveau de langue au détriment de tous les autres. Le débat de "l'Obédience littéraire bicéphale" est donc, par essence, inutile. La virtuosité scripturaire ne s'enlise pas dans les snobismes respectifs de la Capitale ou de la Colonie. Le coeur, à défaut de la plume, n'a pas à balancer entre le joual et le parler pointu.

En définitive, l'étude de Robert Vigneault se lit vite et bien. Cependant, je crois que l'oeuvre de Claire Martin n'a pas encore trouvé un exégète exhaustif qui lui rende totalement justice. La faiblesse de Vigneault est d'avoir voulu parler, à la fois, de l'auteur, de son oeuvre et de la réaction de la critique en si peu de pages. Il aurait fallu choisir entre l'oeuvre et les réactions de la critique, la biographie étant un genre littéraire et critique piégé à l'avance. Robert Vigneault nous donne tout de même le goût de lire Claire Martin: c'est déjà beaucoup.

P.S. L'étude de Vigneault comporte plusieurs documents photographiques concernant Claire Martin, sa famille et son arrière-famille. Également des *Repères biographiques* fournis par Claire Martin, ainsi qu'une bibliographie établie, semble-t-il, par l'auteur.

Thèsez-vous?

Il est désormais clairement établi dans le contexte québécois qu'une bonne proportion de ce qu'il est convenu d'appeler, faute de mieux, la production culturelle, nous arrive directement de l'industrie universitaire. Certains fonctionnaires du Savoir accaparent, d'ores et déjà, les premières places qu'il faut avoir obtenues afin de justifier leurs prétentions au pouvoir ainsi que la bonne opinion qu'ils ont d'eux-mêmes auprès de leurs pairs. Ainsi les parchemins se parent de plumes académiques pour la plus grande gloire des Lettres. Dans cette noble entreprise de gratification sociale, le *Conseil canadien de recherches sur les humanités* offre sa complicité pécunière et stimule les moins ambitieux quand ce n'est pas les moins doués à griffonner leurs fiches qui les mèneront à une vague maîtrise ou un quelconque doctorat. Dans l'euphorie générale de cette scolarisation pénitencière, on en vient à croire que ces écrivants patentés sont aussi des écrivains. Malheureusement, s'il est donné à tout le monde de rédiger une thèse, il n'apparaît pas évident que tout "thèsard" soit écrivain...

Il est difficile, sinon impossible, d'envisager la publication de la thèse du Docteur Fernande Saint-Martin consacrée à Samuel Beckett, hors du contexte idéologiquement malsain que je viens d'évoquer. Nul ne saurait être le produit innocent d'une institution aussi encombrante et équivoque que l'université.

Quoi qu'il en soit, rappelons le titre et la trame générale de cette thèse qui paraît avec quelque cinq années de retard. *Samuel Beckett et l'univers de la fiction* se propose, "à partir d'une intuition nouvelle du langage dans le processus existentiel" d'étudier comment Samuel Beckett, dans son oeuvre romanesque, a "transformé les structures profondes du roman traditionnel".

Morceaux moisis

Dès le premier chapitre l'auteur nous décrit les positions épistémologiques de Beckett face à l'écriture fictive en fonction de la réalité et de la recherche de la vérité. Rejetant toute approche réaliste face à l'univers, Beckett se cantonne délibérément dans une position idéaliste où le vieux pacte réaliste entre les mots et les choses n'a plus cours. Saint-Martin précise: "Beckett rejette totalement l'efficacité réaliste à exprimer quoi que ce soit du réel et par suite son utilisation dans l'organisation des matériaux de la fiction". S'appuyant explicitement sur l'étude que Beckett écrivit en 1931 sur Marcel Proust, Saint-Martin souligne que l'auteur affectionne une position où la connaissance de soi et du monde devient impossible.

La suite de la thèse sera composée de neuf chapitres où il sera question des oeuvres suivantes: *Murphy*, *Watt*, *Les nouvelles*, *Mercier et Camier*, *Molloy*, *Malone meurt*, *L'innommable*, *Textes pour rien* et *Comment c'est*. Dans chacun de ces chapitres on retrouvera, selon un ordre d'apparition variable et arbitraire, des considérations sur l'intrigue, la structure, la psychologie des personnages et de l'auteur, etc. Tout au long de la thèse, également, des citations des oeuvres étudiées, citations souvent redondantes au propos de l'auteur qui n'évite nullement les pièges de la paraphrase la plus compromettante.

Étrangement, après avoir ouvert la voie à une interprétation axée sur la notion de fiction, voire de littérature, Fernande Saint-Martin truffe ses propos d'indices psychanalytiques: conflit oedipien, castration, impuissance sexuelle, expulsion. Pourtant, c'est en vain qu'on attendra une interprétation fouillée en ce sens. Stratégie ou carence méthodologique? Aucun souci de globaliser ne se fera sentir en regard de ces portes ouvertes. Ainsi, si Murphy se voit définir comme étant un psychotique pratiquant volontairement une forme de solipsisme; si Molloy semble reproduire le meurtre du Père, c'est en vain que le lecteur cherchera des raccords explicites et cohérents entre ces constatations et d'autres où, par exemple, le protagoniste déclare: "Je cherche ma mère pour la tuer".

On se serait attendu à des trouvailles significatives entre les thèmes du solipsisme, voire du narcissisme, et ceux de la masturbation, de la crainte de la castration, de l'impuissance sexuelle et de l'oedipe. On l'aura compris en même temps que Beckett, contre Fernande Saint-Martin: il y a plus dans l'oeuvre de Beckett une dérision de la quincaillerie freudienne que des lapsus dramatiques que le critique aurait pour mission de décoder.

Cette carence au niveau de la grille interprétative reste sans doute le plus gros écueil auquel le lecteur aura à faire face. Somme toute, Fernande Saint-Martin abandonnera vite l'explication psychocritique pour se perdre dans une forme de paraphrase habile, suivant de près chaque oeuvre, où l'analyse laborieuse, queue leu larde, n'aboutira que très rarement à une synthèse viable sur le plan du travail critique.

Face aux errances des protagonistes et de l'écriture beckettiens, il aurait été intéressant d'appliquer une grille plus moderne où la notion de littérature, telle qu'entendue par Blanchot, ou la notion de mort du sens, telle que définie par Jeudy auraient trouvé ici une application plus adéquate. Si le discours beckettien tourne sur lui-même en une sorte de désespoir narcissique faute de récepteur ou d'allocutaire, il faut voir que c'est d'abord et avant tout parce que l'écrivain est le fondement sans fondement de son écriture d'où cette errance de la parole, d'où cette tension verbale sans orientation ni finalité.

Au lieu de se cramponner anxieusement aux textes de Beckett, sans jamais en faire ressortir leur exemplarité, Fernande Saint-Martin aurait gagné à situer une oeuvre d'une telle modernité dans le sillon de la nouvelle critique. Entre l'ancien et le nouveau l'auteur laisse errer sa plume sans nous convier à une épiphanie de l'esprit. Plus fourmi que styliste, Fernande Saint-Martin aura donné une bonne thèse mais de la mauvaise littérature.

P.S. Il est à espérer pour Fernande Saint-Martin qu'elle ait bien lu et tout lu Korzybsky qu'elle cite, en passant, à deux reprises. Car, en cas contraire, il est fort à craindre qu'un homologue de l'U. du Q., nommé depuis avril secrétaire perpétuel du *Club des amis de Korzybsky,* lui lance un coup de fil inquisiteur qui la confinerait, à coup sûr, à l'hérésie.

Poil de Carotte contre Jules Renard

J'ai toujours été étonné de constater à quel point certains éducateurs s'ingénient à ne privilégier, avec quelle complaisance, que les aspects fleur bleue de plusieurs écrivains. Il y a une Sherley Templelisation (qu'on me passe le néologisme) des lettres qui défie notre seuil de l'écoeurement. Il faut dire bien haut, par exemple, que Daniel Defoë ne s'est pas limité à écrire son trop fameux *Robinson Crusoë* (Camus le savait, lui qui s'en est souvenu en écrivant *La peste)* et que *Moll Flanders* a sans doute trop de piquant pour aboutir dans une anthologie pédagogique; on oublie que Mark Twain a aussi fait autre chose que son *Huckleberry Finn;* que Saint-Exupéry a écrit aussi *Citadelle* à part son *Petit prince* qui n'en finit plus de nous faire baver suite à l'utilisation humanisto-larmoyante et boy scoutarde qu'on en a fait; que La Fontaine est tout aussi brillant et plus gaillard dans ses *Contes* que dans ses *Fables*... Bref, la liste est longue de ces écrivains qu'on a castrés pour la meilleure élévation des jeunes âmes et qu'il faudrait réhabiliter dans ce qu'ils ont de subversif.

Jules Renard n'a pas échappé à la sanctification pédagogique à telle enseigne qu'on ne se souvient plus de lui qu'à travers son *Poil de carotte,* intéressant certes, mais trop fade pour donner une juste idée du talent de son auteur. Avant même de parler de Maurice Toesca et de sa biographie littéraire, j'affirmerai tout haut que qui n'a pas lu *L'écornifleur* n'a pas lu Renard. Ce n'est pas un hasard si André Gide, François Mauriac et Jean Paulhan l'avaient classé parmi l'un des douze meilleurs romans du siècle dernier.

Mais revenons plutôt à Toesca qui vient de signer un *Jules Renard.* D'emblée, l'auteur appelle Jules Renard Poil de carotte; cela a de quoi étonner si l'on considère que Toesca se sert d'un personnage fictif créé par Renard pour nous parler de l'homme. C'est que pour Toesca il y a deux Jules Renard: le vrai, père de famille assez pépère, bon bourgeois maire de son village natal, Chitry-sur-Mines, citoyen décoré de la Légion d'honneur, membre de l'Académie Goncourt et actionnaire du jeune Mercure de France; et puis l'autre, le faux, l'écrivain, celui qui se manifeste dans son journal et dans ses oeuvres littéraires... Le vrai Jules Renard, c'est Poil de carotte, l'autre c'est Jules Renard tout court. La naïveté du dédoublement est dure à avaler d'autant plus que c'est à partir de la littérature que l'auteur s'ingéniera à nier le littérateur.

Essentiellement axée sur un déroulement biographico-chronologique, l'étude de Maurice Toesca fera tout pour "excuser" l'homme de lettres au profit du "bon bourgeois". Toutefois, c'est toujours à partir des écrits de Renard qu'il se fera une idée de l'homme, jugeant, arbitrairement ou plutôt selon le profil qu'il veut donner du personnage, des passages du *Journal* qui sont sincères, des autres qui ne le sont pas. L'auteur part d'un principe causaliste (principe qu'on pourrait appeler "Principe Guillemin") qui veut que l'écrivain ne soit que le résidu prévisible et limité de sa biographie. À plusieurs reprises des phrases comme celles-ci nous sont lancées: "L'homme de lettres cède le pas au père, l'homme vrai." Lorsque Renard parle de se tuer, dans son journal, Toesca déclare: "La littérature a repris le dessus"... On ne peut s'empêcher de sourire et de se remémorer la déclaration de la cuisinière d'Alexandre Dumas sur son maître: "Il avait le tort de faire des livres, c'est ce qui l'a perdu". Et, en effet, comme une cuisinière qui ne comprend goutte aux lettres, Maurice Toesca s'obstine à nous relater les menus faits d'une quotidienneté quelconque, à déterrer les épiphénomènes de l'aspect mondain de l'écriture en "gommant" l'écrivain. La biographie, littéraire ou autre, est un genre essentiellement faux puisqu'on ne saurait expliquer le talent en racontant une vie. Des milliers de gens ont vécu et vivront ce qu'a vécu Jules Renard, cependant il n'y a que lui qui a écrit *L'écornifleur*. On se surprend que Toesca n'aille pas jusqu'à déclarer ouvertement ce qui est latent dans son approche: "Quel bon père de famille, quel bon défenseur du trône et de l'autel il eut fait s'il n'avait été écrivain!" Il y a du rousseauisme chez Toesca: l'homme naît bon, la littérature le corrompt.

Pour Maurice Toesca, Jules Renard "joue" au littérateur méchant et à l'humoriste. Mais, en littérature, ne faut-il pas feindre d'être écrivain avant de le devenir effectivement? Pourquoi l'homme de lettres serait-il plus faux que le père de famille?

Pas une seule fois le lecteur n'aura droit à des commentaires pertinents sur l'oeuvre ou le métier de Renard, pas une seule fois le souci de situer l'homme dans le contexte idéologique de l'époque ne se manifestera, plus: Toesca ne poussera même pas les prémisses de son approche strictement événementielle et biographique. Aurait-il été moins paresseux ou plus informé qu'il aurait succombé, en toute logique avec son attitude, à une approche psycho-critique (toute psycho-critique n'est-elle pas une tentative de cerner la biographie de "l'âme"?). Il avait pourtant une pièce de choix: le *Journal* de Renard qui est un des plus exemplaires de la littérature française...

Toesca aura passé à côté de l'écrivain, bien malgré lui et sans qu'on soit tenté de lui en tenir rigueur puisque c'est un vice de genre qui explique l'échec biographique, il aura passé à côté de l'écrivain donc, en ne réussissant pas à faire en 300 pages ce que Sartre, en 1945, avait fait en 19 pages. Sartre avait bien saisi, dans *L'homme ligoté* (cf. *Situations, 1)* tout le drame de l'écrivain Renard qui déclarait dans son journal: "J'ai supprimé les vers, l'escrime, la pêche, la chasse, la nage. Quand supprimerai-je la prose, la littérature? Quand la vie?" Écrivain du silence, pointilliste malgré lui, Renard vivait toutes les contradictions et les impasses de l'esthète Fin de Siècle.

Étouffé par le vide de la création littéraire, Renard arrivait trop tard, du moins il le croyait comme d'autres croient inventer le monde et la littérature en publiant n'importe quoi à tous les deux ans, juste de quoi laisser traîner leur nom dans l'air et dans la mémoire inculte des jurys du Conseil des Arts. Après l'analyse des grands types psychologiques ou sociaux, après l'étude des sentiments généraux, après les épopées balzaciennes ou zoliennes, que restait-il à faire? Il restait à faire court, à fignoler dans le détail. À la question valéryenne, que peut un homme?, Renard répond: il peut se taire. Le paradoxe de cette écriture, toujours sauvée en dernière instance, réside dans la virtuosité stylistique de Renard qui n'en finit plus de se taire en écrivant. Renard, disait-on, finira par écrire: "La poule pond". Pour ma part, je crois qu'il se serait contenté d'écrire "Oeuf".

Renard, sans le sérieux métaphysique et une certaine "pesanteur" allemande, annonçait déjà Blanchot.

Cesare Pavese: du suicide considéré comme un des beaux-arts

Notre connaissance de la culture italienne, passée le seuil d'un certain nombre de préjugés québécois, n'est guère reluisante. Quelques-uns citeront Fellini, d'autres lanceront dans la conversation des noms tels que Pirandello, Moravia, Buzatti ou Svevo. Certains, enfin, se souviendront de Leopardi. Au bout de la liste, il est peu probable que le nom de Cesare Pavese vienne à l'esprit de quiconque. En cela nous sommes à la remorque de la tradition (xénophobique) et de la traduction française.

Quoi qu'il en soit, il est à signaler que l'oeuvre de Pavese est accessible à notre dialecte depuis 1953 au moins. Chez Seghers, on vient de publier une étude, dans le style de la collection, qui prétend faire le tour de l'homme et de l'oeuvre en 88 pages. Georges Piroué qui signe ce livre, a bien compris la tradition Seghers en nous plaquant quelques morceaux choisis à tous hasards: c'est à se demander si quelques-uns ne publient pas dans l'exacte mesure où l'écriture est considérée comme un moyen de rallonger son curriculum vitae.

Même en supposant que l'étude de Piroué s'adresse à de purs incultes en matière de littérature italienne, on est en droit de constater que l'approche biographico-critique de cet auteur est de piètre qualité. Piroué, comme d'autres avant lui, est tombé dans le panneau du mythe Pavese: c'est le mythe de l'écrivain célèbre qui, ayant reçu le prix Strega, se suicide en pleine gloire. On ne se tue pas impunément dans la république des lettres et les auteurs devraient apprendre à brûler leurs papiers intimes.

Piroué, comme jadis Dominique Fernandez, voit dans l'itinéraire intellectuel et physique de Pavese un échec indéniable.

Il est vrai que la publication du *Métier de vivre*, journal intime de l'auteur, n'était pas là pour arranger les choses... surtout quand l'on s'affronte à des nécrophages freudiens.

La thèse de Piroué, qui est celle de Fernandez, grossie et caricaturée, est bien simple: on se tue pour "s'évader" de la vilaine vie ou, dans le cas de Pavese, parce qu'on souffre d'éjaculation précoce. Toutes les femmes sont fatales dirait Claude Mauriac. Tout au long de son texte, Piroué laisse tomber des sentences significatives et réductrices. Qu'on en juge: parlant du suicide de ce Don Juan raté il dit: "Fatalité inscrite dans la chair ou malignité des circonstances?" et encore: "une sorte de sillon tracé d'avance à l'intérieur de ses cellules". Jamais la bêtise déterministe, avant la contribution de Piroué, n'avait été si haut claironnée. Au sujet de l'éjaculation précoce: "c'est l'amoureux qui aura troublé l'ouvrier des lettres de ses effervescences empoisonnées". Pavese ne peut pas être un "homme à femmes"? qu'à cela ne tienne, il deviendra un intellectuel pour se venger. À une sexualité ratée correspond la carrière de l'écrivain et son goût du suicide. Piroué ne semble pas voir qu'il s'engage dans la dialectique vicieuse de l'oeuf et de la poule. Il ne voit dans les angoisses de Pavese qu'un "attrait pour l'impasse", dans son suicide qu'une façon de fuir "dans l'au-delà". Il précise encore, notant des miettes biographiques visiblement piquées tant bien que mal dans l'admirable ouvrage de Davide Lajolo, *Cesare Pavese, le vice absurde*,: "le suicide est toujours là pour vous fournir l'échappatoire".

Curieuse fuite qui exige l'éradication de l'instinct de conservation et de l'irréparable avance de la glande. Et si le suicide n'était pas toujours une "maladie" ou une "fuite"? Et si le suicide devenait le geste mature d'un individu qui a fait le tour de son jardin? Faut-il le crier sur les toits? La preuve de la supériorité de notre état ne saurait se déduire de cet état même. Cependant, la majorité des gens se comportent comme si la vie était supérieure à la mort du seul fait qu'ils sont vivants. Visiblement, Piroué se cantonne dans une position prêchi-prêcheuse où la candeur progressiste joue d'égale force avec un optimisme digne d'un Dale Canergie. Le ridicule, loin de le tuer, lui fait même avouer que le pauvre Cesare n'aurait eu besoin que d'une "femme compréhensive" et du "divan d'un psychanalyste distingué" (sic). Or Pavese connaissait très bien Freud et ne lui épargnait pas ses sarcasmes. Si au moins cet amant de la littérature américaine avait pu connaître Master et Johnson...

On le voit aisément, l'approche de Piroué qui n'est qu'une forme juvénile et maladroite de toute approche généticofreudienne, s'entête à expliquer le haut par le bas, l'effet par la cause bref, le métaphysique par le physique. Il est dommage que Piroué n'ait pas médité un peu du côté de Cioran et pratiqué une certaine forme de rigueur déductive. N'est-il pas étonnant de voir un Drieu La Rochelle, écrivain lui aussi, mais viril celui-là, se donner la mort pour des motifs qui sembleraient opposés à ceux de Pavese? Si l'on se suicide à Nanterre c'est la faute à Voltaire, si l'on fait de même à Palaiseau c'est la faute à Rousseau! L'échec relatif de Georges Piroué vient du seul fait de la carence méthodologique d'une pratique de l'herméneutique littéraire qui se confine au "patchwork" biographique et au plaquage de quelques notions-clefs qui viennent en droite ligne de la tradition néo-positiviste du Teuton Viennois. Le tort de la critique freudienne, en matière littéraire, vient du fait qu'elle "corrige" l'oeuvre à partir de ce qu'elle croit savoir de l'homme. Or, malheureusement pour elle, entre le sujet et sa création, entre l'auteur et son texte s'inscrit toute la marge de stylisation du vécu, toute la distance de la parodie, de la tragédie et de la projection, qui souvent se fait à l'envers, bref, tout l'art comme procédé. Ainsi la psycho-critique, science de seconde main et de brocante (un psycho-critiqueux est toujours un scientifique chez les littéraires et un littéraire chez les scientifiques), ne peut transiger, de fait, avec un réel "patient", d'où la tentation de se servir du texte comme prétexte (ce lapsus de Piroué est exemplaire: "Les écrits ne sont jamais que le rembourrage plus ou moins galbé d'un squelette préformé", celui de l'auteur, évidemment!), d'où, à la limite, l'impossibilité de tenir tout discours esthétique sur la littérature.

Il faut donc revenir à Cesare Pavese sans avoir l'impression de visiter un résident d'un quelconque institut psychiatrique. Il faut voir dans son oeuvre, et cela parce qu'elle nous y invite, la démarche rigoureuse d'un individu qui questionna jusqu'à la fin l'exacte dimension de l'acte d'écrire en regard de l'acte de vivre. Loin d'être une victime cyclothymique (thèse avouée de Fernandez, implicite chez Piroué), il s'avéra être un individu qui a médité sur les impasses de la conscience artistique. Natalia Ginzburg rapporte, dans *Les petites vertus:* "Il disait qu'il connaissait désormais son art si à fond qu'il ne lui offrait désormais plus aucun secret: et ne lui offrant plus de secrets, cela ne l'intéressait plus". Lisons, en outre, ce passage du *Métier de vivre:* "Que nous connaissions un style veut dire que nous avons tiré au clair une partie de notre mystère. Et qu'il nous est désormais interdit d'écrire dans ce style. Viendra un jour où nous aurons tiré au clair tout notre mystère, et alors nous ne saurons plus écrire..." Remarque valéryenne, s'il en est une, qui prolonge *Monsieur Teste* jusqu'à sa conséquence ultime: nous ne saurons plus écrire, entendons, nous ne saurons plus vivre...

Ainsi, vu sous l'angle d'un questionnement intellectuel poussé jusqu'aux confins de cette "lucidité effroyable", le suicide de Cesare Pavese cesse d'être la triste gestuelle d'une ejaculatio praecox engoncée dans un sombre déterminisme. Pavese a "réussi" son suicide: il le préparait depuis dix-huit ans. Les conditions objectives d'une Fatalité ou d'un Destin sont appelées à être assumées ou rejetées par toute liberté. C'est ce dont témoigne l'oeuvre et la vie de Cesare Pavese.

Ajoutons, pour terminer à la charge de Georges Piroué que sa *Bibliographie française de l'oeuvre de Pavese disponible en librairie* est incomplète. En plus des oeuvres citées, il existe dans le numéro 78-80 de la *Revue des lettres modernes* un texte de Pavese sur Sherwood Anderson qui est tiré du recueil d'essais intitulé *La Letteratura Americana ed altri saggi.* Ce texte aurait dû figurer dans l'anthologie de Monsieur Piroué car il témoigne du talent d'essayiste de Pavese.

Dénonçons, enfin, le côté tendancieux des "morceaux choisis" qui édulcorent à souhait le côté théoricien de Pavese pour mieux faire ressortir l'image bébête d'un Pavese bucolique, voire élégiaque.

Le *Cesare Pavese* de Georges Piroué: une marchandise frelatée. Retournons aux textes et oublions la critique lorsqu'elle se fait mauvaise entremetteuse.

LITTÉRATURE ET SOCIÉTÉ

Ethnologie et fiction

Roger Kempf est peu connu ici, c'est-à-dire qu'il ne fait pas partie de cet aréopage de noms qui hantent notre conscience collective cultivée. Quelques-uns se souviendront d'un essai assez remarqué par la critique qui s'intitule *Sur le corps romanesque*. L'auteur nous offre aujourd'hui une série d'essais publiés aux éditions du Seuil: *Moeurs*.

Selon l'aveu même de Kempf, il s'agirait ici d'une entreprise scripturaire vécue sous le mode du triple attentat à l'ethnologie, à la critique traditionnelle et aux entreprises théoriciennes qui, depuis quelque vingt ans, "escamotent le monde et ses pièces à convictions: le sens, la figuration"...

À la lecture, cependant, nous comprenons vite que, somme toute, Kempf se rattache beaucoup plus qu'il ne semble le croire à la tradition biographico-littéraire pimentée, çà et là, de considérations générales sur des perceptions de voyages (surtout aux États-Unis). En cela, rien de tout à fait si transgressif ou révolutionnaire que les intentions affichées sur l'endos de la pochette.

Neuf textes en tout dont sept se rattachant à des oeuvres ou à des auteurs déjà plus-que-classiques. Diderot, Balzac, Stendhal, Flaubert, Proust et Joyce seront juxtaposés à des réflexions sur certains aspects de la vie américaine et à une anatomie du pauvre selon la Société Saint-Vincent-de-Paul.

La méthode de Kempf est simple: partir d'un détail ou d'une brochette de détails, indices de biographie pour les écrivains, faits de moeurs pour les Américains, afin d'en dévoiler les significations profondes. Essentiellement une approche essentialiste (verticalité / profondeur) qui rattache l'auteur à ce que Barthes appelait la conscience symbolique. Kempf s'affiche ici comme étant résolument pré-structuraliste. La futilité du détail, son arbitraire même, peuvent conduire à une découverte de fond ou, aussi bien, foirer magistralement.

Ainsi, les chapitres consacrés à Balzac, Stendhal, aux pauvres et à Proust sombrent dans l'anecdotique le plus plat. Le thème du cigare dans quelques romans de Balzac, l'analyse des pauvres à partir d'un manuel de la Société Saint-Vincent-de-Paul (ce chapitre est fondamentalement barthien dans ses intentions, sauf dans ses résultats), la bibliothèque de Julien Sorel et le mini-catalogue des "véhicules" chez Proust ne nous conduisent pas vers des élucidations exemplaires.

Les chapitres les plus heureux me semblent être ceux sur Diderot *(Lire et traduire)*, Flaubert *(Le double pupitre)*, Joyce *(James Job)* et *Américana.*

À travers l'éloge et la traduction de Richardson, Diderot se montre un créateur moderne face à l'ordre chronologique et à la linéarité dans le roman. Pantin sublime d'une esthétique de l'ardeur, du mouvement et de la rapidité, Diderot n'aura cessé d'être un baroque avant tout. Kempf nous fait voir un Diderot totalitairement relativiste qui s'obstine à nier la durée de l'écriture au profit de l'aspect ponctuel de l'art pictural. Il regrette qu'on ne puisse le lire comme on "lit" un tableau. Il a la nostalgie du "coup d'oeil"...

Le double pupitre nous dévoile un Flaubert férocement célibataire et étrangement "amoureux" de ses amis. Kempf nous présente des lettres inédites d'Alfred Le Poittevin qui fut le seul vrai ami de Flaubert. L'amitié se vit sous la pesante atmosphère du couple et la création littéraire ne peut s'envisager qu'à l'intérieur d'un célibat monastique. Paradoxe habilement distillé dans *Bouvard et Pécuchet.* Gustave dira: "Aller faire l'amour, n'est-ce pas interrompre une lecture, abandonner le livre en cours?" Après le mariage d'Alfred, véritable trahison, c'est l'ennui et le succédané provisoire: Louise Colet. Pour Flaubert, se marier "c'est renoncer à l'imagination et à l'étude".

Cette correspondance "dévoilée" ne cesse d'éclairer les apparentes contradictions de l'homme, si ce n'est de l'écrivain. Alfred à Gustave: "je t'embrasse le Priape, adieu vieux pédéraste."; Flaubert à Bouilhet (rappelons la boutade de celui-ci à l'égard du beau sexe: "Qu'importe ton sein maigre, oh ma bien-aimée. On est plus près du coeur quand la poitrine est plate!"); "Tu m'as l'air présentement quelque peu sodomisé, mon pauvre vieux"; Flaubert à Feydeau: "Je me demandais si tu n'étais pas resté collé au fond de l'anus d'un môme oriental". Encore à Bouilhet: "À propos, tu me demandes si j'ai consommé l'oeuvre des bains. Oui, et sur un jeune gaillard gravé de la petite vérole (...) je recommencerai". Troublante vision où, dans le Panthéon des Lettres, le gaulois Gustave rejoint l'ineffable Gide. Mais que les âmes simples (et bonnes) se rassurent. En février 1851, finis les écarts. "À Naples où il retrouve le beurre frais, (pour en, désormais, faire un usage avouable), le linge blanc, les cigares, Flaubert, refusant les *mômes*, s'en tient aux dames et aux *plaisirs maternels*".

Avec *James Job* Kempf nous fait découvrir un Joyce qui aura tout enduré, reçu toutes les croix. Sa bourse est toujours vide et il s'étonne que ses amis et relations s'offusquent de ses exigences monétaires. Prêter à Joyce? Cela va de soi! Cette arrogance dans la mendicité nous fait nous poser le problème du revenu de l'artiste en fonction de ses rapports avec la société. Jobard "hénaurme" qui nous laisse rêveurs sur la capacité de bouffonneries de notre pauvre carcasse en regard de la survie. Tout au nom de l'art?

Américana se veut une méditation sur quelques rites et habitudes de "l'American Way of Life". Dans la vieille tradition européenne du français médusé par l'Amérique, pensons à Tocqueville, Reichenbach, Butor et quelques autres, Kempf s'amuse à brosser le tableau de quelques "mythologies" qui lui tiennent à coeur: le monde funéraire, la psychologie du pompier et l'étiquette régissant les rapports sociaux férocement démocratiques. Il y a des passages vifs et troublants qui nous font comprendre qu'entre les "cimetières verdoyants et moelleux comme des terrains de golf" et l'extinction des feux qui "ne caractérise pas plus l'art du pompier que l'éjaculation n'épuise un art d'aimer", en Amérique, le désodorisant et le gargarisme sont plus importants que l'esprit, voire le génie. Le savoir-vivre commande une attitude où il est préférable de ressembler à tout le monde en n'ayant l'air de personne. Le barbarisme démocratique est à la mesure de cette maxime de Balzac: "Les ambassades couvrent une profonde indifférence, et la politesse un mépris continuel." How nice to see you!

Somme toute, *Moeurs* n'est pas une grande oeuvre. Sa fréquentation est d'un commerce agréable, sans plus. Une fois la lecture terminée, nous en voulons un peu à l'auteur de n'avoir pas donné le maximum de ce que sous-entendait son approche. Brillant mais paresseux, Kempf n'aura pas su nous arracher cette admiration fiévreuse que suscitent les auteurs exigeants.

Marcotte au conditionnel

Jusqu'en 1969, Gilles Marcotte publie des essais critiques qui tous s'ingénient, du moins au niveau des titres, à percevoir le corpus littéraire d'ici sous le vocable révélateur de "canadien-français". Cédant sans doute aux pressions de l'Histoire, il nous livre aujourd'hui des essais sur le roman "québécois" avec un volume intitulé *Le roman à l'imparfait.*

Si je note, un peu malicieusement, ce détail c'est qu'il me semble se relier au propos de Marcotte qui, dès son introduction, insiste sur la relation entre le roman et la société. Entre le *Trente arpents* de Ringuet et *Une saison dans la vie d'Emmanuel* de Marie-Claire Blais, il y a toute la distance entre le roman vécu comme l'enclos stable et rassurant d'une société figée, voire dix-neuvièmiste, et l'im-perfection, l'inachèvement d'un vécu qui ne cesse de bouillonner, ne serait-ce que le bouillonnement même de la "révolution tranquille". Marcotte, étrangement, remarque que notre roman de la maturité tarde à venir et qu'il a même "évité de rendre compte, sur le mode de la "comédie humaine", des articulations essentielles de notre histoire collective". Est-ce là le rôle du roman moderne? On tique un peu et l'auteur le sent qui ne cesse de jouer entre un regret feutré d'un certain ordre romanesque classique et la constatation que notre littérature récente, im-parfaite dira l'auteur, "n'implique pas un temps accompli, fermé, mais une durée qui se construit et ne cesse de se construire dans le cheminement des consciences ou, plus justement, dans le cours du texte". L'auteur veut donc étudier le "roman québécois d'aujourd'hui" sous l'angle de l'inachèvement et nous laisserait croire volontiers à une approche où l'ordre du déroulement narratif primerait.

C'est avec l'oeuvre de Gérard Bessette que s'ouvre le premier chapitre de Marcotte. Son étude, intitulée *Jules Leboeuf et l'impossible roman,* montre un Bessette fortement ancré dans une esthétique réaliste. Marcotte appelle à sa rescousse des auteurs aussi connus que Mary McCarthy, Lukacs, Ian Watt, Octavio Paz et Dumont afin de définir le roman réaliste et le lien qui l'unit à la causalité et à l'Histoire. Dès *La bagarre*, Bessette avoue ses prétentions au roman réaliste; cette "tentation" réaliste va être révoquée avec des oeuvres comme *L'incubation* et, à un niveau moindre, avec *Le libraire*. Cependant, le vieux fond causaliste et aristotélicien de Bessette revient à la charge et des oeuvres comme *Les pédagogues*, *Le cycle* et *La commensale* montrent clairement qu'il tente de renouer, sous divers déguisements, avec les exigences du réalisme social et, surtout, psychologique. C'est particulièrement le cas avec *Le cycle* qui apparaît, aux yeux de Marcotte, comme l'ancien déguisé en nouveau. L'expérience formelle de *L'incubation* ne nous a pas trompé: Bessette est bien un homme du XIXe siècle qui, en bon professeur cultivé, a "pigé" quelques recettes aux modernes. Le critique souligne clairement, d'ailleurs, les emprunts stylistiques de *L'incubation* en regard de *La route des Flandres* de Claude Simon. Il soupçonne également un échec relatif face aux monologues intérieurs des protagonistes du *Cycle*. Ici, on pourrait reprocher à Marcotte d'avoir ignoré le dossier spécial que *Le Québec littéraire 1* consacrait à Bessette en 1974. Il y aurait découvert certaines précisions sur *Le cycle* et cela lui aurait évité de faire du surplace critique surtout face aux commentaires assez vagues qu'il se paye sur *Le libraire* ou les redites sur *L'incubation*. À cet égard, l'étude de Marcotte date et reste incomplète alors qu'elle aurait mérité une approche totalisante: il y a de l'eau qui a coulé sous les ponts depuis Glen Shortliffe...

Beaucoup plus éclairantes sont les études consacrées à Réjean Ducharme et à Marie-Claire Blais. Avec *Réjean Ducharme contre Blasey Blasey* l'auteur nous dévoile clairement les positions rhétoriques de Ducharme qui sont assimilables à toute forme de pensée poétique, voire magique. Le spasme asémique de son discours confine le lecteur à une expérience de l'éclatement du multiple: en termes de discours romanesque Ducharme est donc du côté de l'alittérature. Marcotte analyse bien la situation de Ducharme face à l'épopée, en tant que genre, et le traitement parodique qu'elle subit. Les relations avec

Edgar Poe, le regard, Saint-Denys-Garneau et l'univers pré-oedipien de Ducharme sont intéressantes quoique mal poussées à fond. Ducharme demeure un romancier de l'anti-roman, polissant une écriture (apparemment bâclée) mitoyenne qui donne d'autant plus de force corrosive au projet du rejet du monde adulte. Langage volontairement enraciné dans le jeu narcissique, se déroulant à l'infini dans l'antichambre qui annonce l'ennuyeux principe de réalité.

Les enfants de grand-mère Antoinette, on l'a deviné, nous introduit dans l'univers de Marie-Claire Blais. Ici, Marcotte revient à son couple roman / société en montrant bien, malgré tout, que les commentaires de Lucien Goldmann, Michel Brûlé et Madeleine Greffard sur l'oeuvre de Blais restent partiels sinon inopérants. Il faut saluer ici l'absence de tout dogmatisme critique chez le critique: la tentation totalitaire de la sociocritique ou de la psychocritique lui reste étrangère et, en cela, il pratique une critique du juste milieu. Le thème de l'Enfant trouvé, emprunté à Marthe Robert, fait l'objet d'une application exemplaire chez Marie-Claire Blais: univers, lui aussi pré-oedipien où l'enfant institutionnalise la Bâtardise, choisissant la Mère contre le Père qui n'est pas le vrai géniteur. C'est à point nommé que Marcotte fait un parallèle entre Marie-Claire Blais et Ducharme: chez eux, même entêtement à rester du côté de l'enfance, même mépris des adultes, même agression de la beauté, même refus de l'Histoire. Admiration du critique, mais aussi lucidité; si "Ducharme s'intéresse aux structures, aux jeux formels, aux renversements; Marie-Claire Blais pique des mots, des bribes d'images, qu'elle jette dans la fournaise de son écriture". Entre la mégalomanie lautréamontienne et le romantisme de la déception de ses personnages, Marie-Claire Blais "se jette dans le langage, dans le récit, avec une fureur toute romantique, jamais arrêtée par la crainte du ridicule ou de l'excès, faisant flèche de tout bois..."

On s'étonne de ce que la critique, lors de la parution de *Une liaison parisienne*, n'ait vu l'évidente parenté de ce livre avec les *Voyages sacrés:* Marcotte relève la chose et l'on voit bien le même conflit de la naïveté québécoise face à l'expérience européenne.

La dernière étude, *La faute de François-Thomas Godbout*, me semble moins pertinente que les deux précédentes. Marcotte abandonne parfois l'analyse pour tomber dans l'anecdotique et une certaine forme de psychologisme (cf. Patricia, les femmes et l'amour). De *L'aquarium* à *D'Amour, P.Q.*, le critique nous fait entendre que le romancier exploite le langage en fonction de l'actualité, voire de la superficialité: Godbout est toujours l'homme du moment; "à chaque roman il est aussi neuf, et aussi ancien que le journal du matin". L'écriture de Godbout subit, selon Marcotte, la fascination de la forme journalistique. Il ne faudrait pas oublier que Godbout est *aussi* cinéaste: certaines corrélations significatives (c'est, me semble-t-il, le devoir premier de tout critique) auraient pu trouver leur place. Une véritable étude de l'oeuvre de Godbout reste à faire et Marcotte nous convie à des prolégomènes.

Le dernier chapitre, *Le romancier comme cartographe*, réintroduit le climat d'ambiguïté qu'on sentait dans l'introduction. Peut-être cela tient-il à l'éthique du juste milieu dont je parlais plus haut? Des formules comme celles-ci nous laissent rêveurs: le "raconter est devenu proprement impossible de Robbe-Grillet ne s'applique pas aux oeuvres que nous lisons présentement au Québec". Encore fallait-il interroger de plus jeunes auteurs et moins miser sur des valeurs sûres.

Mais Marcotte reste Marcotte et l'on pourrait appliquer à ses essais le commentaire qu'il destinait aux lecteurs de Ducharme: "chercheurs d'idées raides et de théories gagnantes, s'abstenir"...

INDIVIDU ET SOCIÉTÉ

Christiane Rochefort: pour une pensée apocalyptique

Il n'est pas de sujet plus actuel que celui de l'aliénation des opprimés. Il y a d'abord eu les noirs, puis les femmes, ensuite le tiers-monde (qui, comme par hasard synthétisait la féminitude et la négritude), et encore les "fous". Grâce à Christiane Rochefort (ah oui, j'allais oublier les chiens dont Godbout nous a admirablement parlé) nous avons maintenant les enfants... Dans un livre dont le titre, *Les enfants d'abord*, n'est pas sans rappeler la classique formule de détresse, Christiane Rochefort nous brosse le tableau de l'enfance sous les couleurs les plus sombres.

La thèse de Rochefort est simple, trop simple peut-être: les enfants sont des dominés. De la naissance qui est brutale et idiote (Rochefort rappelle la fameuse thèse de Leboyer qui préconise une naissance sans violence) jusqu'à leur majorité, en passant par l'école et la doucereuse machine à conditionner qu'est la famille, les enfants subissent continuellement des pressions, des violences, des chantages, des agressions et j'en passe.

Pour Rochefort la dialectique de l'éducation se vit essentiellement sous l'angle du couple dominant / dominé. L'enfant n'a aucun droit et sa dépendance totale le livre, innocent et pur, à la machine sociale qui, par le biais de l'éducation, va faire de lui un ustensile commode et docile. Selon l'auteur: "tous les enfants sont toujours mutilés" et encore: "toutes les éducations sont mauvaises" ou mieux: "l'éducation peut être assimilée à une tentative de meurtre". Dans le meilleur des cas, l'éducation est une réduction de l'enfance aux normes de la société blanche, industrielle, technocrate, fasciste et j'en passe encore.

À la différence des autres groupes opprimés (noirs, femmes, fous), les enfants ne peuvent pas parler de leur oppression, il faut donc parler pour eux: d'où l'ouvrage de Christiane Rochefort. Elle se fait fort de dénoncer tout ce qu'il y a de dénonçable dans l'univers enfantin. Certaines de ses remarques sont fondées: ainsi cette critique de la famille où, trop souvent, les rapports d'amour se transforment en rapports de force. Il est vrai également que trop d'adultes n'ont plus le temps d'être à l'écoute de l'enfance. La dépendance affective, économique, nourricière, favorise trop souvent, chez les frustrés, des comportements de fascisme dans la vie de famille d'abord, dans la société patriarcale ensuite.

Mais, au travers ou malgré toutes ces vérités énoncées, il subsiste un malaise de lecture face à *Les enfants d'abord.* Il y a de tout dans ce livre qui s'affiche comme étant un essai: un style nerveux et imagé qui n'est pas sans rappeler le souffle de Céline, un ton unique et tapageur (le livre de l'auteur prend souvent les allures d'un reportage-choc à la manière d'un Pierre Nadeau), une sincérité de coeur qui n'a d'égal que le donquichottisme auquel elle s'alimente, une sensibilité qui a ses lettres de noblesse depuis le brillant *Repos du guerrier*. Cependant il manque à l'auteur ce qui fait les grands essais: une finesse d'analyse alliée à l'habileté de la déduction logique. Christiane Rochefort pense mal et elle pense "gros". Elle a ce défaut typique des pensées primaires qui découvrent les joies de la contestation: le manichéisme pubertaire. Chez elle tout est noir ou blanc: il y a les bons (elle et les enfants) et les méchants (la société blanche phallocratique-répressive). Ce travers de pensée se manifeste clairement à l'usage d'une terminologie toute particulière. Il y a l'Entreprise, la Machine, la Force Aveugle, le Gardien de l'Ordre et encore l'Entreprise mondiale d'exploitation. Toutes ces entités, tels les opposants maléfiques d'un roman de science-fiction, menacent ou promettent d'anéantir. Rochefort, comme Céline, cultive l'apocalypse.

Chez elle, la force persuasive, didactique du propos est invalidée par le recours aux mécanismes qui relèvent de l'onirisme paranoïaque ou de la fiction pure et simple. À toutes les fois où la finesse d'analyse demande un développement exemplaire, Rochefort nous renvoie à des études ou des essais qui ont fait son travail à sa place. Ainsi ce n'est pas un hasard si les noms de Cooper (lorsqu'il s'agit de critiquer la famille), Illich (lorsqu'il s'agit de contester l'école ou la médecine), Laing (encore la famille), Neill (encore l'école), Deleuze (pour réfuter l'Oedipe), etc., viennent truffer les propos de l'auteur. À la limite, quand on connaît déjà ces auteurs, on se demande où est la contribution de Rochefort dans cette défense de l'enfance.

Il y a plus grave. Au niveau de la logique, Rochefort trébuche. Il y a dans ses propos une vision puriste de l'éducation. Pour elle toute forme d'éducation "mutile" ou découpe désastreusement dans le potentiel génétique de l'enfant qui, à l'origine, peut tout. Ce potentiel illimité du début est un leurre; Rochefort pense que: "naître est notre sommet. Jamais nous ne serons aussi formidables que ce jour-là." L'éducation n'est pas réductrice puisque, sans elle, il n'y aurait rien. Le tout illimité du nourrisson, laissé à lui-même, aboutit tout aussi bien à un rien illimité. Ce que Rochefort ne semble pas saisir, c'est que tout "dressage" éducationnel se fait en situation et uniquement en situation. L'esprit doit se former contre quelque chose. Confusément, l'auteur implique ce non-sens par ses propos: on ne devrait éduquer un enfant que lorsqu'il est en mesure d'évaluer le contenu de son éducation... Aussi bien affirmer que nous ne sommes pas libres parce que nous n'avons pas choisi de naître...

Ces invraisemblances logiques ne semblent inexplicables que dans la mesure ou le dessein ultime de Rochefort nous échappe. Or, derrière la croisade des "petits", c'est tout un mode de vie que l'auteur démolit. Il y a chez elle la nostalgie du bon sauvage de Jean-Jacques et la crainte du progrès qui se manifeste sous les déguisements de la Ville, de la Science, des Média, de l'Ordinateur voire de la Cybernétique. Le vrai procès de Rochefort, c'est celui d'une romantique qui panique devant la rationalisation du *Meilleur des mondes*. C'est Rousseau devant Skinner... Il n'est pas sûr, comme le laisse entendre l'auteur, que les enfants de Dakota Sud, de l'Amazonie, de Samoa, de Hopi, ou du Tibet soient plus "libres" ou plus heureux que les nôtres.

Et il ne suffit pas d'avoir de la gueule pour faire de bons essais.

Archéologie du célibataire

Il ne faudrait pas s'attarder trop longtemps à une réflexion sur le couple et sa véritable fonction dans nos sociétés sans encourir le risque de constater à quel point il est le centre de gravité de tout le système capitaliste. La machine sociale carbure selon l'ordre rythmique d'un moteur à deux temps: la famille renvoie à la famille et le couple au couple. Dès lors, la machine célibataire, moteur hypothétique à un temps? devient l'objet de toutes les méfiances. La passion autarcique du célibat annonce le goût morbide du cercle vicieux et de la mort.

Ces affirmations, pour sombres et excessives qu'elles puissent paraître, n'en sont pas moins fondées lorsqu'on consulte l'admirable essai que Jean Borie vient de signer. Son *Célibataire français*, qui pourrait facilement tromper à cause de son titre (non, Borie n'est pas au célibat ce que Durkheim fut au suicide), retrace, à travers les textes d'auteurs du XIXe siècle, la généalogie de ce thème ou de cet état civil compromettant: le célibat.

Borie connaît son sujet et il délimite avec passion, humour, ironie grinçante parfois, ce que l'on pourrait appeler le "discours célibataire". Jusqu'à Balzac, le célibataire n'est pas ce personnage en situation irrégulière, à la limite de la pathologie. Mais cela va changer très vite: si avec Flaubert, les Goncourt ou Huysmans, le célibat est avant tout la résultante d'un choix, celui de la vocation littéraire, une forme de narcissisme supérieur, une résistance, une fidélité à soi-même bref, une religion de l'Art; il apparaît être bientôt, entre les mains des scientifiques de l'époque, une manifestation morbide, nécessairement inopportune et transgressive.

Le célibataire est un sous-produit de la morale bourgeoise, la mauvaise conscience du couple, donc, de la famille. Borie cite des textes qui sont hallucinants: ce Bertillon qui nous prouve, chiffres à l'appui, l'anormalité statistique d'un tel état civil, ce Tardieu qui implore qu'on taxe les représentants de cette minorité gênante, mais potentiellement payante, ce Garnier qui, ne reculant devant rien, recommande la cautérisation du clitoris chez les femmes célibataires et fonde les bases d'une psychologie du célibat où l'onanisme mène à la pédérastie qui, elle, est résultante du célibat qui, lui, explique l'onanisme: le célibataire ne peut donc qu'être un vicieux puisqu'enfermé dans son cercle analisant... Pour tout dire, le célibat détourne et bafoue la finalité reproductrice du mariage. Le désir célibataire devient perte blanche du capitalisme triomphant. Ainsi s'instaure un terrorisme médico-légal, par les voix des docteurs Moreau (de Tours), Prosper Lucas et Morel, terrorisme qui sera repris et métaphorisé par le discours de ce que Borie appelle les prophètes progressistes qui ont nom: Proudhon, Comte, Michelet, Hugo et, bien sûr, Zola.

C'est qu'il faut comprendre qu'avec la prise de la Bastille, la morale jacobine, soeur jumelle de la bourgeoise, ne ramène le libertin, le "viveur" du XVIIIe siècle au rang de célibataire que parce que son économie va désormais reposer sur l'institution familiale. De l'aristocratie vaincue à la bourgeoisie montante, on passe du plaisir au devoir, du désir au profit. Valmont cède la place au père Goriot.

Borie montre bien que "les grands prophètes du progrès, les grands hommes de la démocratie socialisante ont été constamment, au XIXe siècle, les pires ennemis de l'individu qu'ils prétendaient, démocratiquement, défendre". L'impérialisme de la morale bourgeoise, cultivant le culte de la "cellule de base", ne peut tolérer ce déviant par excellence: le célibataire. Auguste Comte est clair sur le sujet: la femme doit socialiser, domestiquer cette individualité flottante, déracinée, potentiellement agressive. Michelet, pour sa part, amène de l'eau au moulin de Cooper: il faut que la famille intériorise en son sein "tous les mécanismes disciplinants"... La société, c'est la famille! Liberté, Égalité et Fraternité sont devenues, en moins de cinquante ans, Travail, Famille et Patrie. Nous sommes aux portes du XXe siècle et les jeux sont faits. Marcuse, Cooper et

Illich n'en reviennent pas d'être les cocus sublimes de cette machination, non pas célibataire, mais bourgeoise, donc impérialiste.

Il faut lire Jean Borie, ne serait-ce que pour le plaisir de rencontrer, en plus d'un essayiste et d'un moraliste qui se "retient", un véritable écrivain.

De l'extase à la Révolution ou la folie, c'est le mysticisme des autres

"Il y a un certain style de vie que nous pouvons décrire comme bourgeois et qui est caractérisé par un aveuglement massif devant ce que serait une humanité non réifiée": il y a dans cette assertion de David Cooper des relents d'arrogance pubertaire qu'on adresse à des adultes incompréhensifs. Pourtant, Cooper n'est plus un adolescent qui rue dans les brancards: c'est un ex-psychiatre "sérieux", qui a déjà introduit dans le champ freudien une notion qui a fait couler beaucoup d'encre: l'anti-psychiatrie. C'est aussi l'auteur qui, dans *Mort de la famille*, a dénoncé ce noyau nucléaire "qui est la principale courroie de transmission dont la classe dominante capitaliste se sert pour conditionner l'individu à travers une première socialisation, et pour mettre à la place qui est la sienne dans la distribution des rôles qui convient au système".

Avec son dernier livre, l'auteur nous propose une réflexion sur les conditions indispensables qu'il faut respecter pour avoir le droit de s'appeler un "vivant". Il faut entendre, avec le terme de grammaire, (rappelons le titre de l'ouvrage: *Une grammaire à l'usage des vivants)* un ensemble de règles qui, paradoxalement, vont s'articuler en dehors de la "norme". Pour Cooper, la norme est un élément d'anti-vie qui réglemente la distribution des rôles dans nos sociétés et qui, par voie de conséquence, désigne des déviants, avec d'autant plus de force répressive. Dès lors, les expériences-limites sont vite confinées à l'articulation d'une nosologie des maladies mentales. Les psychiatres ne sont pas loin, "prédateurs du Monde Normal" qui se feront complices d'une uniformisation souhaitable, dans tous les cas, pour le bon fonctionnement de la machine sociale. L'abréaction, l'électrochoc ou le choc à l'insuline seront les "arguments" de choix qui serviront à raisonner tous ces anormaux.

Et si la réalité sociale, telle que nous la connaissons en Occident, n'était qu'un échec? c'est dans cette interrogation, et dans elle seule, que se fonde l'approche anti-psychiatrique. Dès lors, la "folie" n'est plus la folie: elle devient le lieu d'une expérience unique qui souvent, la pratique de Cooper le démontre aisément, débouche sur une transformation radicale de l'individu. Cooper ne voit dans la folie qu'une des formes multiples que peut prendre, à travers l'extase, la véritable rencontre de soi à soi. Et même: une folie qui a mal tourné, c'est d'abord et avant tout la "folie ratée du Normal"... La folie n'est plus une conduite à réprimer ou à guérir c'est, au contraire, une étape à provoquer.

L'ex-tase (se tenir en dehors de son "moi") peut aussi se vivre à d'autres paliers. Ainsi, dans le chapitre intitulé *L'épreuve de l'acide,* Cooper énonce sobrement, sans panique mais sans arrogance, les conditions d'un bon voyage au LSD. L'extase chimique est ici une façon de rencontrer sa folie et de s'en enrichir. Il y a, bien sûr, d'autres voies plus "classiques": la recherche esthétique, la conquête de son corps à travers une véritable expérience de l'amour et de l'orgasme, la maîtrise éthique ou religieuse (chamanisme et tantra "de la main gauche") sont autant de "voies" qui permettront à l'individu d'apprivoiser sa folie et sa mort.

Pour Cooper, ces expériences-limites, loin de mener à la schizophrénie, vont commander une transformation radicale du sujet et l'amener à une action nouvelle dans le système: s'il y a une révolution à faire, elle débute dans la plus profonde intimité de l'individu. L'intérieur c'est l'extérieur et le mysticisme des déviances est aussi un acte politique. Il est significatif de noter ici que le livre de Cooper porte le sous-titre de *Essai sur les actes politiques.* Un bon orgasme, une expérience de la folie, sont des gestes politiques. L'auteur part d'un axiome simple: si l'individu se transforme tout le reste va suivre.

Il est clair que nous sommes loin ici d'une approche militantiste-marxiste qui "prend" l'individu de l'extérieur, le poussant à se motiver à travers des concepts de "lutte de classe", de "prolétariat", de "capital", etc. Cooper suggère que l'implication viscérale dans une expérience extatique a plus d'impact sur le social que le délire discursif de deux intellectuels communistes qui évaluent les modalités respectives de l'infrastructure et de la superstructure.

L'approche de Cooper est trop franche, trop directe pour ne pas provoquer un occultation partagée. D'un côté, les marxistes verront en lui un "tripper' gentil-gentil qui se confine à la débilité joyeuse (et, évidemment a-politique) d'un fumeur de pot; de l'autre, la bourgeoisie ("La bourgeoisie, dans une société capitaliste pleinement développée, est la classe dominante qui fait régner l'ordre ou plutôt le désordre, et l'exploitation, en gardant la propriété des moyens de production".) toujours soucieuse de sauvegarder sa norme du juste milieu, ne pourra que prohiber l'éloge de la déviance et de l'extase. On pourrait même dire que l'histoire de la société bourgeoise, telle que définie plus haut, est avant tout l'histoire de la répression de l'extase.

Il ne faudrait pas faire non plus de David Cooper un-autre-pape-de-la-contre-culture. Son projet est plus global que l'artillerie simpliste du "peace and love", de la grosse cinquante, et du joint libérateur. Sa façon d'envisager le projet humain à travers une liberté exhubérante (rappelons que Cooper doit beaucoup au Sartre de la *Critique de la raison dialectique)* dépasse le narcissisme agressif de quelques déviants patentés qui sont aussi réactionnaires que leurs oppresseurs.

Cooper est surtout un "guérillero de la conscience" qui nous convie à une réinvention de nos destins. Et s'il avait raison?

Être psychiatre, être spiritualiste

De Jean-Yves Roy, qui vient de publier un premier essai intitulé *Être psychiatre*, j'hésite à dire qu'il fut attaché à l'Hôpital Saint-Jean-de-Dieu, chef de service à l'Institut Albert-Prévost, rédacteur en chef de la revue *Québec médical* et qu'il collabora régulièrement à la revue *Maintenant*, lui qui doute du rôle du "spécialiste", qu'il soit de l'âme, dans la cité.

C'est pourtant en tant que spécialiste ("chaque jour, je rechoisis d'être psychiatre") doutant qu'il nous propose quatre essais qui s'alimentent à sa pratique psychiatrique. Le premier, intitulé *Souffrance et idéologie*, met dos à dos médecine et psychiatrie. Pour Jean-Yves Roy, la médecine-technologie prive le sujet de sa conscience, même si c'est sa conscience souffrante, au profit d'une opérationalité purement physicochimique. Le médecin contrairement, insinue Roy, au thérapeute de l'âme, est celui qui "ne souffre pas" et qui désérotise le corps. Roy semble opposer, et on saisit mal le procès qu'il intente à l'idéologie matérialiste de la médecine, la colite néphritique à la dépression nerveuse. La pensée opératoire, entendons le rationalisme à outrance, de Masty et M'Uzan est pris à partie au nom de l'homme désirant. Alors que la médecine émiette le corps, traitant ces maladies qui sont hors de toute conscience nécessaires au malade, la psychiatrie veut totaliser et travailler à l'intérieur d'un système globalisant.

Avec *Le taire québécois*, l'auteur témoigne du silence théorique de la psychiatrie québécoise, étouffée entre l'Europe et les États-Unis. La psychiatrie d'ici serait à la mesure du pays équivoque de Ferron: "Nous faudra-t-il rester ainsi coincés à tout jamais entre le trop bien *faire* d'une certaine médecine et le *dire* trop élégant d'une certaine théorie?" et encore: "Locataires de notre pensée, auditeurs libres des courants théoriques dont le propre est de s'énoncer ailleurs, nous composons ainsi, à notre mode, le compendium plus ou moins éclectique des idées internationales et nous gardons, par-devers nous un étrange silence: le taire québécois".

Cette "double colonisation" pose le problème de la place réelle du psychiatre dans le contexte social québécois. La crise d'identité nationale éveille, chez Roy, une crise d'identité thérapeutique: le psychiatre, qui articule sa pratique dans un lieu qui est celui d'un non-savoir, serait à la médecine ce que le philosophe est aux sciences humaines. Cultivant les prémisses du premier essai, l'auteur nous fait comprendre que le psychiatre serait en quelque sorte, sinon le fou de la médecine (ou de toute la science en général) tout au moins son délinquant. Roy semble vouloir épargner à la psychiatrie d'être située (à droite ou à gauche) en tant que discours nettement identifiable. La psychiatrie serait "aussi asilisée que les malades dont elle cherche à s'occuper" et le psychiatre, comme le Jacquemort de Vian, cristallise autour de lui toute la mauvaise conscience de la formation sociale à laquelle il appartient. N'épousant pas ce que Roy appelle le discours techno-logique (le discours scientifique) et linéaire, la psychiatrie devient suspecte.

Le troisième essai, *L'Eden et l'après*, qui me semble le meilleur, insiste sur le psychotique qui semble se révéler le véritable pépin de la psychiatrie en regard de son efficacité. Roy rappelle, à juste titre d'ailleurs, que tant que la psychanalyse classique restera accrochée à des schèmes oedipiens ou obsessionnels, elle ne saisira nullement ce qui a lieu dans l'univers du psychotique. Pour Roy, la psychose ne se pare pas de tous les feux éblouissants de la subversion à la mode de Cooper ou à celle de Deleuze-Guattari. Elle est, tout au moins pour celui qui la subit, tout autre chose qu'une contestation active de l'odre établi. Le psychotique est en deçà de tout discours critique, donc subversif, face à la réalité. Le romantisme antipsychiatrique n'est pas l'apanage de Jean-Yves Roy.

Le dernier texte, *Fou sans cité, cité sans fou*, examine la place du "fou" dans la société: on ne peut tolérer la folie des autres en autant qu'elle ressemble, ne serait-ce que par le biais de l'Eros, à notre normalité. Roy sollicite quelque peu la pensée anthropologique pour mieux nous faire l'analyse des comportements de clans avec ce qu'ils impliquent au niveau des démarches et structures de confirmation. "Dans la très grande majorité des cas, nos démarches intellectuelles visent à confirmer ce que l'on sait déjà ou que l'on croit déjà savoir". La psychiatrie, selon Roy, ne "confirme" nullement l'idéologie techno-logique et scientifique; c'est, disons-le en souriant un peu, sa marge de subversion. Il est cocasse de constater que, malgré les anathèmes antirationalistes d'un psychiatre comme Roy, c'est à partir de la rationalisation de l'irrationalité (avec ses étiologies) que s'est constituée la psychiatrie. De même, il est permis de penser contre la grandeur d'âme de Roy, que la pratique psychiatrique actuelle, en Amérique, se contente de profiter de la marge d'incertitude scientifique qui nous est dévolue: aux U.S.A., il y a trois quarts de millions de "soignants" qui s'engraissent en écoutant les confessions de quinze millions de "patients"...

Au fond, le véritable sujet de *Être psychiatre* est sans doute celui de la détermination des assises idéologiques de la psychiatrie en fonction de sa pratique et du discours dominant qui est celui de la science, donc du matérialisme. Or, paradoxalement, l'auteur ne verbalise jamais ouvertement les implications idéologiques de sa vision de la psychiatrie. S'il nous dit clairement ce qu'elle n'est pas et quelles méthodes elle refuse, l'auteur omet de nous signaler à quelle tradition elle se rattache. Il me semble, à lire Roy, que nous sommes en plein coeur de la pensée spiritualiste. S'expliquent alors les pointes paranoïaques à l'endroit de la médecine-technologie, les insinuations sur les méthodes expérimentales et "laborantines", la conscience malheureuse à l'intérieur d'un système qui privilégie la linéarité logocentriste, etc. Pourquoi l'auteur a-t-il occulté l'ultime question que pose son livre: être psychiatre est-ce être spiritualiste? Nous aurions aimé connaître les implications exactes de cette attitude de l'esprit en regard des traitements et des "guérisons" qu'ils supposent.

Descartes situait, en bon matérialiste, le siège de l'âme dans la glande dite pinéale. Gageons que les psychiatres, plus prudents, la situent dans ce hors-lieu commode où croupissent leurs patients en or sur des divans “profonds comme des tombeaux”. Somme toute, le véritable défi de la psychiatrie réside dans le pari de l’esprit en tant qu’entité immatérielle. Être psychiatre c’est se demander: “Qu’est-ce que l’esprit?”

Avouons que la réponse spiritualiste, donc humaniste (quand je pense à humaniste, je ne peux m’empêcher de citer cette phrase de Mary McCarthy: “Nous sommes une nation de vingt millions de salles de bain avec un humaniste dans chaque baignoire”. . .), à nos vieux maux d’âme ne s’est guère révélée lénifiante jusqu’à ce jour. L’armée des “psy”, faisant de plus en plus la preuve de son incompétence, nous forcera-t-elle à choisir entre l’angoisse existentielle et le chlorhydrate de chlorpromazine?

Quoi qu’il en soit, le livre de Jean-Yves Roy est remarquablement bien écrit et l’essayiste s’y révèle comme un écrivain de première force.

Freud et la cocaïne

L'humanité souffrante s'est toujours montrée plus ou moins pusillamine quant à l'usage qu'elle a fait de ce qu'il est convenu d'appeler les "drogues". Comme le note justement Robert Byck, "nous choisissons nos poisons en nous basant sur la tradition, non sur la pharmacologie. Les attitudes sociales déterminent quelles drogues seront acceptées, et jusqu'à quel point des qualités morales seront attribuées aux substances chimiques."

Notre époque, plus puritaine qu'on ne serait porté à le croire malgré la révolution "underground-contre-culturelle", a choisi ses poisons qui sont à la mesure de la médiocrité dorée du démocrate domestiqué: alcool, caféine et nicotine. Ce triumvirat de la prudence pharmacologique, cette trinité de stimulants-bénins-pour-chasser-le-cafard a de quoi faire sourire. Notre société est droguée, certes, mais juste assez pour se maintenir au niveau de flottaison réglementaire nécessaire au bon équilibre de nos institutions. Entre le "cartoon" hebdomadaire et la "caisse de douze" du samedi soir, nous apprenons à consommer nos paradis artificiels de pacotille.

Il y eut une époque où la cocaïne faisait le bonheur des plus humbles, même si la dernière convention collective n'était pas là pour réajuster le déficit d'un travail humain perdu à l'avance. En 1878, le Dr Palmer, déjà, disait: "Une vieille dame de 72 ans s'adonnait à l'opium depuis 35 ans. Je la persuadai d'essayer de la coca." En 1880, dans le *Therapeutic Gazette* de Détroit, on peut lire: "qu'on soit opiomane ou non, l'on a envie d'essayer la coca. Un remède inoffensif contre le cafard, quelle merveille!" Vers la même époque, la firme Parke Davis et Cie, fabricante américaine de l'alcaloïde péruvien, proposait, en toute simplicité, une trousse du parfait cocaïnomane: "nous présentons encore un coffret très complet contenant le matériel indispensable à l'application locale de la cocaïne, i.e. une seringue hypodermique, un pinceau de poil de chameau, un compte-gouttes, un flacon propre à contenir la solution de muriate de cocaïne, cinq capsules, contenant chacune un grain de cocaïne cristallisé et une note explicative." C'était à l'heure où l'Amérique buvait son Coca-cola avec de la véritable coca...

Vers la même époque, en Europe, un jeune étudiant de Vienne écrit à sa fiancée: "Je m'occupe actuellement de rassembler tout ce qui a été écrit sur cette substance magique afin d'écrire un poème à sa gloire." Et encore: "Oh! ma petite fille, il faut que je devienne riche... Je suis bien vu dans le service." Ce jeune gandin qui agace un peu avec son arrivisme de basse-cour, neurologue mal à son aise dans une discipline véritablement scientifique, cherchant la renommée afin d'obtenir un poste à l'université et de se marier au plus tôt à Martha Bernays, c'est Herr Sigmund Freud.

Les historiens de la psychanalyse et les biographes de Freud (Jones et Bernfeld) ont voulu étouffer "l'épisode cocaïne" qui, pourtant, devait être la voie royale qui allait mener Freud à sa théorie de l'interprétation des rêves. Les "Cocaïne Papers" étaient, jusqu'à date, pratiquement inaccessibles au lecteur francophone, l'édition de la Dunquin Press étant introuvable. Robert Byck a réuni dans une admirable édition tous les documents concernant les rapports de Freud avec la cocaïne, qu'il utilisa de 1884 à 1895. *De la cocaïne* renferme près de 22 textes, dont 10 de Freud, ou études de spécialistes. Tout tourne autour de l'utilisation de la cocaïne au XIXe siècle, et, plus particulièrement, autour d'un texte majeur de Freud, *Ueber Coca*, qui fut publié en 1885.

Freud s'y montre particulièrement anti-scientifique, téméraire et étrangement enthousiaste à l'endroit de ce produit qui venait à peine d'apparaître sur le marché européen. Il affirme: "La coca est un stimulant bien plus puissant et moins dangereux que l'alcool." À Paris, faisant sa cour auprès de Charcot, il prend de la cocaïne "pour (s)e délier la langue." Il en conseille à sa fiancée et espère vivement que sa monographie fera du bruit. Paradoxalement, c'est un ami, Carl Koller, qui popularisera la cocaïne dans les milieux médicaux. En effet, c'est surtout l'anesthésie locale par la cocaïne qui allait décider de la reconnaissance de ce produit.

L'aspect le plus intéressant de la publication de *De la cocaïne* est sans nul contredit le chassé-croisé de points de vue et d'opinions auxquels le lecteur est invité à participer. La véritable synthèse de ce dossier n'existe que virtuellement dans l'esprit de son lecteur. Outre les travaux de Freud sur la question, on trouvera la traduction des sources américaines auxquelles Freud s'alimenta sans trop se soucier du caractère scientifique des informations qu'il avait adaptées de publications telles que la *Therapeutic Gazette* de Détroit, la *Detroit Medical Gazette*, le *St. Louis Medical and Surgical Journal* et, surtout, dans l'*Index Catalog of the Surgeon General's Office*. Cette façon de glaner à droite et à gauche des informations étrangères et de les "redécouvrir" à son compte était typique de la manière de travailler de Freud.

On trouvera également un texte de Jones qui est tiré de *La vie et l'oeuvre de Freud*, texte qui reprend largement l'ouvrage de Siegfried Bernfeld et répète, malheureusement bien des erreurs de ce dernier. Bernfeld éclairera mieux, par contre, l'attitude ambivalente de Freud face à son engouement pour la cocaïne; il montrera, en particulier, que Freud voudra "gommer", par la suite, la recommandation qu'il avait faite, en mars 1885, d'administrer la cocaïne sous forme d'injections sous-cutanées contre la morphinomanie. D'un certain point de vue Fleischl, ami intime de Freud et morphinomane, devait payer de sa vie les recommandations enthousiastes qui étaient contenues dans *Ueber Coca*...

Un texte de la fille de Koller nous brosse le tableau de la Vienne fin-de-siècle où étudia Freud. Il n'est pas inutile de se souvenir qu'à l'époque le courant déterministe d'Helmoltz, à l'université, eut de profonds effets sur la pensée scientifique d'alors et longtemps après encore.

Les firmes productrices de cocaïne Parke Davis et E. Merck publièrent des textes qui sont reproduits dans la présente édition. Parke Davis insiste davantage sur l'aspect vente et marketing. E. Merck, par contre, est plus critique face au produit qu'il fabrique. Il est plus prudent, voire plus scientifique que Freud face aux effets à long terme de la cocaïne.

Un texte de Lewin, tiré de son livre *Phantastica*, plaide contre le produit et déplore le cocaïnisme qui peut résulter d'un usage abusif. Plus moralisateur qu'analyste, Lewin sombre parfois dans un romantisme alarmiste. Il dira: "Bientôt ils (les cocaïnomanes) entreront par la porte du malheur dans la nuit du néant."

Ce dossier de près de 400 pages se terminera avec un aperçu de la situation de la cocaïne aux U.S.A. de nos jours. Richard Woodley, dans son livre le *Dealer*, nous décrira un court aspect de la vie de marchand de cocaïne. Le dernier chapitre nous fera prendre conscience, par l'intermédiaire du *National Institute on Drug Abuse*, qu'on sait fort peu de choses sur les véritables effets physio-psychologiques, même aujourd'hui.

Somme toute, le dossier que nous présente Robert Byck se cantonne plus du côté historique et laisse pour compte les considérations d'ordre psychologique qui auraient pu découler des rapports homme-cocaïne. On peut regretter qu'il n'y ait pas eu un texte dans lequel Freud aurait été analysé en regard de cette sombre passion qui l'occupa pendant près de dix années. Faut-il admettre comme le suggère David Musto, que la psychanalyse n'aurait peut-être pas existé, tout au moins telle que nous la connaissons actuellement, s'il n'y avait eu le charme discret de l'Érythroxylon coca sur le jeune Freud? Peut-être.

Cependant une cocaïno-analyse reste à faire pour une meilleure compréhension de la psychanalyse en tant que pratique de l'esprit analytique sur l'esprit.

Quoi qu'il en soit, *De la cocaïne* est désormais un livre indispensable pour tout freudien qui se respecte. L'humour involontaire y côtoie l'anachronisme pharmacologique ainsi que l'érudition partisane. Ce pot-pourri de styles et de tons n'a d'égal que l'unité de son sujet, même s'il reste encore mystérieux.

Homo sapiens ou Machina sapiens? Essai sur l'intelligence artificielle

En 1709, naissent deux personnages quelque peu oubliés par l'inculture des temps modernes: Jacques de Vaucanson et Julien de la Mettrie. Le premier devient ingénieur et construit des automates; l'autre, plus modeste, se contente d'être philosophe et de faire sa médecine. Il exalte les travaux du premier dans un ouvrage célèbre (pour ceux qui prennent la peine de regarder derrière) qui s'intitule *L'homme-machine*, publié en 1746 et réédité, il y a quelques années, chez Pauvert dans la collection *Liberté*. C'est un "petit philosophe" sans importance qui, pourtant, a le mérite de situer les bases d'une problématique qui devient de plus en plus actuelle: une machine pourrait-elle se comporter intelligemment comme un être humain? (pôle de l'intelligence artificielle) ou bien l'être humain pourrait-il être considéré comme une machine? (pôle de l'homme mécanique). Alternative encombrante qui prend sa forme mythique dans *le joueur d'échecs de von Kempelen:* où s'arrête l'homme et où commence la machine?

Bien des siècles plus tard, soit aujourd'hui, la cybernétique (science de toutes les machines possibles) nous replace devant la problématique de la relation saugrenue, souvent vécue sous le mode de la paranoïa, entre l'homme et ses automates. La Mettrie aurait pu y trouver son compte au niveau de la population n'eût été l'intervention fracassante du machinisme dans le champ de nos préoccupations modernes. Un Deleuze, un Guattari nous font sentir la bipolarité foncière de toute machine, de tous désirants. La machine molle d'un Burroughs ne serait-elle que la manifestation métaphorisée d'un *software* appartenant à un *hardware* indéniablement promis à l'analyse robotique? Écartelés entre notre humanité et notre machinéité, nous aurons à choisir entre la psychologie ou la robotique, quitte à admettre qu'avec l'informatique, le problème de la liberté perd toute dignité métaphysique.

William Skyvington s'intéresse beaucoup au pôle de l'intelligence artificielle dans son dernier (ou est-ce le premier?) ouvrage intitulé *Machina sapiens.* Il admet volontiers, dès les premières lignes, qu'il négligera l'aspect humain ou la manifestation humaine de l'intelligence. La grande "vedette" de l'ouvrage demeure donc l'ordinateur. Dans une première partie intitulée *Repérage du terrain*, Skyvington montrera qu'il est possible de rendre l'ordinateur intelligent sans devoir nécessairement imiter l'homme. Plus, il soulignera que "l'homme finira un jour par mettre au point des systèmes doués d'intelligence... dont les capacités intellectuelles dépasseront les siennes." Présomption turingnienne s'il en est une!

Dans une deuxième partie, *L'intelligence artificielle*, l'auteur brossera un tableau des quelques réalisations concrètes concernant le domaine de l'intelligence artificielle. Il citera les travaux d'Allen Newell, de Clifford Shaw et d'Herbert Simon en regard de la démonstration de théorèmes de la logique symbolique, héritée de Boole et retravaillée à partir des *Principia Mathematica* de Bertrand Russel et Alfred Whitehead. Il y sera également question d'Uhr et de Vossler et des principes de digitalisation. Le perceptron, appareil électronique pouvant reconnaître certaines formes, fera l'objet d'une analyse détaillée: on comprendra très vite que la machine perçoit d'une façon atomisée, à la grande déception des théories gestaltistes. On apprendra avec stupeur que pour la machine, ou le cerveau électronique, il n'y a pas de distinction entre le réel et le réel simulé (l'imaginaire). De quoi ravir tous les idéalistes du monde. Un court historique de la robotique (Wallace, Ashby et Walter) terminera cette deuxième grande partie.

La troisième section, *Le langage*, risque d'intéresser les philosophes du langage, les linguistes, les informaticiens et, accessoirement, l'honnête-homme-cultivé. Il y sera question des ordinateurs qui peuvent décoder et utiliser le langage humain. Il faut retenir ce savoureux passage où un psychanalyste de renom, ayant à choisir entre un véritable paranoïaque et le paranoïaque simulé par ordinateur, choisit... l'ordinateur comme patient type. Il est clair que pour l'informaticien, il suffit d'un minimum de sophistication pour créer l'illusion d'un dialogue intelligent. Les arborescences chomskyennes seront analysées en regard de l'utilisation syntaxique qu'en peuvent faire les ordinateurs. Les lecteurs pourront saisir, concrètement, comment un ordinateur procède à une analyse syntaxique. Le rapport étroit entre linguistique et informatique apparaît, ici, avec évidence. Pourtant, si génial soit Chomsky, l'auteur nous fait saisir que le discours humain doit passer d'abord et avant tout par l'analyse conceptuelle: l'analyse des sémantèmes aura donc préséance sur l'examen des syntagmes. Syntaxe, sémantique et inférence seront donc les trois instances-clefs pour aboutir à la construction d'un ordinateur pouvant "penser" ou "dialoguer" intelligemment avec un humain. À cet égard, les travaux de Roger Schank et, surtout, ceux de Tony Winograd avec son robot Shrdlu, s'avèrent les plus évolués dans ce domaine. Quelques considérations générales sur la machine de Turing ainsi que sur le théorème de Gödel termineront cette étude de près de 350 pages.

Tout au long de son texte, William Skyvington se garde bien de spéculer sur les implications de la recherche en intelligence artificielle. Strictement orienté vers les États-Unis, il se cantonne férocement dans l'élaboration de faits concrets, de rapports d'analyses et de résumés d'articles spécialisés. Somme toute, les grandes lois sur l'intelligence artificielle et leurs différences d'avec l'intelligence humaine resteront inconnues au lecteur qui aurait aimé comprendre le domaine de la cybernétique dans le contexte plus global de la spéculation scientifique, voire théorique. Il y a une erreur stratégique dans l'attitude de Skyvington qui flotte entre la véritable vulgarisation et l'énonciation théorique. L'effort de synthèse est presque absent alors que la qualité du sujet l'exigeait.

Qui saura, après avoir lu *Machina sapiens*, que la cybernétique promet une philosophie structuraliste qui suppose que tout aspect du monde peut toujours être décomposé de façon artificielle en une série d'éléments d'atomes de perception assemblés ensuite selon certaines règles?

Faut-il reprocher à Skyvington de n'avoir pas été assez philosophe ou faut-il dénoncer sa capacité à résumer, trop souvent au niveau de la lettre et avec un humour douteux, l'élaboration de certains programmes qui, somme toute, restent passablement in-signifiants aux yeux du profane? Livre ambigu quant à son destinataire. A consulter, malgré tout, à titre de curiosité.

ICONOCLASTES

Dandys de l'an 2000

Lorsque je pris connaissance de l'expression, il y a de cela trois ou quatre ans, j'en fus tout ébahi. "Collectif de production", il fallait le faire! Un poster prétentieux et gauchisant galvaudait donc cette trouvaille et je me souviens d'avoir eu recours à la boutade de Jean Grenier afin de contrer mon ricanement: "Les masses sont de plus en plus éclairées, mais les lumières sont de plus en plus basses." L'esprit des temps modernes s'annonçait à coup sûr et comme dans les romans de Sartre, on voyait poindre à l'horizon ces êtres glaireux et sans talent qui tenaient à bout de bras leur petite révolution copernicienne: se mettre à plusieurs pour exister.

Depuis lors, les "collectifs" se sont dressés comme un seul homme (ou comme une seule femme, qu'on me pardonne cette facilité) en plein coeur de notre écologie culturelle. Les fragments, les scrap books, les collages, les retailles, les puzzles, les restants et les restants des restes, les manifestes et les pétitions, les théories et les trips d'acide entre copains, bref tous les fonds de tiroirs promus au rang de syntagmes d'une esthétique de la mosaïque se sont multipliés en s'essoufflant à nous faire croire que plusieurs écrivaillons réunis pouvaient faire un écrivain.

Au Québec, on a vu naître depuis une dizaine d'années une génération de scripteurs pop, aussi "cheap" que les pare-chocs en plastique des petites économiques, aussi chromés que des contenants de surgelés américains, aussi subversifs qu'un prof de cégep en volvo, aussi indigestes qu'un "big mac" endormi dans son styrofoam et qui ont cru, ou croient encore, inventer le monde en "brèchant" la syntaxe, en abusant de la barre oblique, en méprisant cette méchante linéarité oppressive de l'âge classique, en oubliant la ponctuation et même, suprême quintescence de la naïveté, en "cassant les gosses du logos". On avait juste oublié que ce n'est pas un tic littéraire qui fait un écrivain. Il faut d'abord être un écrivain pour se payer le luxe, décidément trop facile, d'un tic littéraire.

"Supprimer la ponctuation? Nous laissons ce vieux truc défraîchi aux putes du Seuil, qui ne savent plus avec quelles guêpières faire le trottoir." Le ton est lâché, agressif et polémique, d'un collectif, le *Collectif Givre* (à ne pas confondre avec la revue du même nom) qui signe un texte intitulé *Dandys de l'an 2000.* Ils sont trois, Doris Ezalies, Michel Guérin et Nicolas Noilhan, mais eux, ils savent écrire... De quoi nous réconcilier avec la création collective, de quoi nous faire oublier les balbutiements autochtones.

Texte collectif donc, qui emprunte l'enveloppe formelle des *Chants de Maldoror* avec ses sept chants. Texte qui ne se résume pas, texte sans idées mais texte avec un ton, ce qui compte seul en littérature, celui de la désillusion, de la décadence voire de la dérision. Il faudrait tout citer afin de ne pas sombrer dans ce que les auteurs appellent le côté "psycho-flic" de toute entreprise critique. Peut-être, pour une fois, faut-il renoncer à la critique et se bercer d'évocations.

Il y a les grands thèmes qui sont ceux de milliers de jeunes: le sexe, la drogue, le rock, l'attente de la Révolution mais, diront-ils, la Révolution sent le patchouli.

Les "inside jokes" rivalisent avec les pirouettes "kultivées" concernant les grands Papes de la modernité: "Merci, monsieur Derrida, le rejet du théocentrisme commence au pieu." et "Nous devenons barthiens ces jours-là, mettant de la connotation sous chaque fesse, des catalyses entre deux seins, faisant des syntagmes de dards. Distinguant entre pornographiant et pornographié. Faisant des pliages — ô Burroughs!"

Le petit côté famille-je-vous-hais de Gide devient: "Nous nous offrons sans réserve, anus compris, filles et garçons. Le dimanche, ils oublient tout. Ils ont tous de la famille quelque part. L'obscène ardeur de ces cons, le lundi." tandis que la phrase inaugurale de *À la recherche du temps perdu* donne: "Longtemps, nous nous sommes touchés de bonne heure." Ici, on l'aura compris, littérature et provocation tournent autour du pôle sexuel puisque à la question "Que peut la littérature?" une seule réponse possible: "Nous faire bander".

Blanchot, Lacan, Mallarmé, Derrida, Deleuze sont pris à partie, toujours sous le mode du soufflet, et étrangement seul, émerge Descartes "encore, le seul qui emmerde vraiment les débiles de l'irrationnel, audio-visuel, horoscopique and co., aujourd'hui pullulants comme des morpions sur nos pubis".

Évidemment il s'agit, comme on disait jadis, d'épater le bourgeois. Avec son cube de hasch, Mick Jagger et quelques partouzes qui, le lecteur s'en étonnera, sont délicieusement jansénistes. Toutefois, la petite provocation rimbaldienne du fils de famille en rupture de ban n'est pas l'essentiel ici.

Ce livre existe et nous touche au-delà de ces poncifs pubertaires. C'est un livre construit et, surtout, "écrit". Voilà l'essentiel. *Dandys de l'an 2000* cristallise, pour la conscience collective, une certaine idée de la jeunesse des années 70. Joe Dallesandro a remplacé Lacan et Marlene Dietrich, Julia Kristeva.

Le *Collectif Givre* nous prouve que la querelle entre les classiques et les modernes est inutile... lorsqu'on sait écrire. Et nul ne saurait craindre une esthétique de la rigueur quand elle est cautionnée par le talent. Voilà ce que n'ont pas compris nos "collectifs" d'ici.

Daniel Gagnon ou le refus culturel

Daniel Gagnon, avec deux livres seulement, a réussi ce tour de force enviable: provoquer l'unanimité de la critique contre son oeuvre. Il est vrai que la critique est un genre accidentellement littéraire et, partant, vouée aux accidents d'interprétations, qu'ils viennent de la grande presse ou d'un obscur mensuel trafiquant avec la cléricature. Mais jusqu'où peut-on salir un auteur qu'on prétend sale?

Daniel Gagnon a beaucoup déçu, avec *Loulou*, nos hommes de culture: on ne lui a pas pardonné de s'être dérobé à ce qui est traditionnellement attendu de l'artiste, à savoir, la confirmation d'une certaine esthétique qui pourrait bien être celle-là même des bien-pensants.

De *Loulou*, on a voulu nous faire croire que c'était un "torchon", un "déchet", une "merdique scripturation" (sic) empreinte de "vulgarité", de "scatologie", de "pornographie" dotée de "dialogues blasphématoires"... Ces évaluations morales, sinon moralistes, étonnent et nous obligent à nous demander quelle conception de la littérature et de l'analyse critique peuvent avoir ceux qui s'y sont adonnés. Cela sent son vieux cours classique mal digéré. L'écrivain, en 1977, est-il encore condamné à cultiver le sujet noble? On pense à une couventine, genre Sophie Barat, se faisant ânonner, par une soeur didactiquement froide, qu'un poème consacré à une rose est plus poétique qu'un autre consacré à la fosse à purin.

On le devine aisément, derrière l'anathème lancé contre *Loulou* se terrent deux conceptions de l'art: l'esthétique classique, d'une part, avec ce que cela implique d'humanisme, de bienséance, d'afféterie, de préciosité voire de "style artiste" et de bec en cul-de-poule; l'esthétique baroque, d'autre part, avec elle aussi ses dérivés qui sont le sens du burlesque, l'exploitation de la trivialité (nullement péjorative), la mise en scène de l'hyperbole, du farfelu et du grotesque. Bref, c'est Proust contre Céline, la madeleine qu'on oppose à la Molson.

Or, c'est une chose que de ne pas apprécier l'esthétique baroque, c'en est une autre que d'affirmer que qui s'y adonne n'a point de talent.

L'esthétique de Gagnon est celle de ceux qui ont le courage de ne pas écrire par oreille, ou par mimétisme, les grands airs de la "grande culture" pour mieux entendre leur cacophonie intérieure. *Loulou* n'est pas un roman "cultivé". C'est l'écriture d'un primitif, d'un païen qu'il faut saluer ici. Entendons l'expression au sens où Dubuffet est un primitif, lui aussi. Il y a du Nicola Franco et du Rabelais dans *Loulou;* il y a aussi du Gagnon avec sa tendresse en sourdine, avec sa naïveté sauvage. Souvenons-nous de ce passage de *Surtout à cause des viandes:* "J'inventerai une formidable machine de guerre pour broyer des idiots et des imbéciles." Cette machine pourrait être *Loulou* à en juger par les cris outragés que ce livre a provoqués.

On n'a pas digéré que Gagnon insiste clairement sur ce qu'il est convenu d'appeler les parties les moins nobles de l'homme. On aurait dû voir que *Loulou* prenait racine déjà dans *Surtout à cause des viandes:* ce n'est pas par hasard si Gagnon cite Artaud qui affirme qu'on ne nie bien que dans le concret.

On n'a pas digéré, également, le produit littéraire de la chyle et du chyme. On aurait dû voir derrière cette provocation par trop voyante le rituel de purification qu'il implique: ce n'est pas par hasard si *Loulou* devient un objet de culte méprisant ses miraculés. *Loulou* atteint aux dimensions d'une fable et même d'un mythe qui resteront à interpréter lorsqu'on aura compris que les petits fours mènent invariablement aux cabinets.

Tout le malheur de Gagnon, relatif il est vrai: il doit bien rire dans sa barbe, vient d'une seule chose qui est que le petit-bourgeois cultivé veut oublier son corps et ses dépendances sexuelles. Gagnon refuse de signer le contrat social de l'art domestiqué; il refuse aussi de donner une bonne conscience cultivée à la petite-bourgeoisie à laquelle il est destiné de par son rôle d'écrivain. Mais le lecteur propre, précisément parce qu'il est cultivé (c'est Lévi-Strauss qui le lui rappelle), ne peut vouloir que de la fesse cuite. On veut de la branlette littéraire distinguée, du Duvert, du Guyotat et même, ultime vulgarité! du Emmanuelle Arsan mais Gagnon ne comprend rien, la brute, et s'obstine à nous donner du Daniel Gagnon... *Histoire d'O*, oui mais *Loulou* jamais! Le spiritualisme humaniste se loge là où il peut.

En définitive, le "cas" *Loulou* est un cas d'espèce puisqu'il fait éclater au grand jour les relations contradictoires qui unissent un artiste à une société. Il se peut que l'incompréhension et le mépris dont a bénéficié Gagnon soient à la mesure d'une incompréhension idéologique donc de classe. *Loulou* nous force à nous questionner sur les rapports qui pourraient exister entre l'esthétique classique et la formation sociale qui la réclame.

Loulou nous fait voir également à quel point le concept de culture est associé à tout un appareil d'intimidation et de pression pour ne pas dire de terrorisme. Gageons que Daniel Gagnon ne se laissera pas intimider par les "répertorieurs, les homologueurs et les confirmeurs du prévaloir" et qu'il saura nous donner autant d'inculture (qui est toute feinte, d'ailleurs), de sauvagerie et d'humour noir dont il est capable pour mieux nous reposer de cette trop bienséante marquise qui n'en finit plus de sortir à cinq heures dans la République des Lettres...

NOTES

1)

Cet article, bien sûr, a été refusé par *Le Devoir*. Jean Basile s'est empressé, à l'époque, de clamer très haut les vertus d'Éthier-Blais. Jacques Ferron, pour sa part, a comparé le *Dictionnaire de moi-même* à de la confiture...

2)

Ce Korzybski a fait couler beaucoup d'encre et dire bien des sottises. Un certain Jean-Paul Brodeur, lors d'un appel téléphonique le 29 mars 1976, m'a demandé des comptes à son sujet et s'est plaint ouvertement, dans une lettre publiée *(La critique du travail théorique, Le Devoir*, samedi 17 avril 1976, p. 13.) de ce que j'avais été mitigé dans mon accueil envers Lévesque.

Un autre professeur de philosophie, Roland Houde, d'abord dans *Comment taire le commentaire? (Le Devoir*, samedi 15 mai 1976, p. 18.) et ensuite dans *Un livre dangereux?* (*Le Devoir*, samedi 17 juillet 1976, p. 22.) s'est amusé à relever les erreurs de Lévesque, confirmant en cela mon scepticisme et ma critique, et à anticiper, non sans malice, de la réaction parisienne à un tel canular produit par VLB.

Quelques mois plus tard, on trouvait dans la presse parisienne des réactions peu sympathiques envers le livre de Lévesque. Brodeur ne s'est pas avisé de faire valoir ses raisons à Paris...

Dans tout ce débat, j'ai eu la désagréable impression que mon article ne servait que de prétextes:

a) Roland Houde semblait régler des comptes avec Lévesque en répondant à Brodeur: tous ces petits profs de philosophie se connaissaient très bien et nageaient régulièrement dans les mêmes eaux.

b) Jean-Paul Brodeur s'avisait beaucoup plus de sauver le "discours philosophique" et son avenir académique dans les maisons d'enseignement que de défendre *L'étrangeté du texte* en tant qu'essai cohérent et original.

Le critique est souvent pris en otage par des orthodoxies qui voudraient son embrigadement et se voit mêlé, malgré lui, à des cabales qui ne le concernent en rien.

3)

Les confessions d'un enfant du cycle me semble un titre bien supérieur, aujourd'hui.

4)

Cet article a été refusé par Michel Roy qui se plaignit de ma dureté envers Lévy Beaulieu. Cette partialité me surprit et je ne la compris que plus tard, lorsque j'appris que Beaulieu "mondanisait" du côté des Roy. Adrien Thério le publia, plus tard, dans les *Lettres québécoises*.

5)

Louis-Paul Béguin a très mal réagi à cette critique et dans une lettre, *(Une critique en porte-à-faux, Le Devoir*, samedi 14 mai 1977, p. 28.) il répond en mêlant les détails spécifiques à son métier avec l'analyse, croit-il, marxiste que je lui impose. M. Béguin n'a jamais reçu la réponse que je lui devais puisque Michel Roy, déjà très paniqué par la publication de mon papier, ne l'a jamais publiée. J'en donne donc copie ici:

LOUIS-PAUL BÉGUIN VICTIME DE LA GAUCHE?

Jean Basile a l'habitude de dire qu'un critique a toujours tort. Je préciserai en ajoutant qu'il a toujours tort surtout lorsqu'il n'aime pas inconditionnellement l'oeuvre que lui propose l'actualité. Un auteur, en effet, veut rarement être analysé: l'analyse dissout l'admiration puisqu'elle suppose toujours un peu de "pour" et un peu de "contre". L'auteur veut être aimé, même si c'est pour de mauvaises raisons. La passion ignore les ratiocinations et l'auteur ne peut supporter, de la part du critique, autre chose qu'une folle passion qui lui revient de droit. Dans le couple que forment écrivain et critique, l'écrivain demeure un amant intraitable: il ne veut pas de l'émotion au détail, il négocie son unicité dans le gros, uniquement...

En cela, Louis-Paul Béguin est aussi un écrivain. Je ne saurais vraiment lui tenir rigueur de l'humeur que lui a causée mon article. Je tiens pourtant à préciser certaines choses une dernière fois.

Dans l'ensemble, Louis-Paul Béguin se plaint d'avoir été jugé à l'aune de "tous les clichés de la gauche" (sic). S'il avait lu mes articles aussi souvent que j'ai lu les siens, Béguin se serait vite rendu compte que je n'ai jamais critiqué une oeuvre à partir de positions a-prioristes aussi sommaires que celles de la "gauche" ou de la "droite". D'ailleurs, je n'ai pas employé un tel vocabulaire dans mon article: c'est Béguin, qui de son propre chef, s'autorise d'un tel vocabulaire pour mieux me mettre ses mots dans la bouche.

Or, il s'adonne que mes arguments ne sont pas "gauchistes", je me suis toujours tenu au texte que j'avais devant moi. C'est Béguin qui réduit mon analyse à une démarche de gauche. Pourquoi? Sans doute parce que j'ai employé les termes de "petite bourgeoisie" et de "classe sociale déterminée". Encore une fois Béguin butte sur la lettre (ou la forme) pour oublier l'esprit. Si être de gauche c'est avoir une conscience de classe, alors je suis de gauche comme des milliers de gens, qui l'ignoraient sans doute avant les précisions de Béguin.

Au fond, ce que refuse Béguin c'est précisément cette conscience de classe. “Moi qui suis apolitique, individualiste forcené, qui n'ai rien en banque” nous déclare-t-il. On se demande ce que le compte en banque vient faire ici! Individualiste apolitique, Béguin cultive l'utopie de l'intellectuel spiritualiste: traduisons par “je ne suis l'homme d'aucun parti et, en tant “qu'individu”, je n'appartiens à aucun groupe donc, à plus forte raison, à aucune classe sociale.” C'est d'une naïveté à pleurer! Béguin se croit-il en dehors de l'Histoire? Pour qui croit-il écrire sinon pour cette clientèle dont j'ai tracé le profil dans mon article? Ce n'est pas un hasard si Béguin a oublié que son discours sur la langue, c'est le point central de mon article, a des racines idéologiques précises qui nous ramènent,quel hasard, à “l'utopie triomphante du *Discours sur l'universalité de la langue française* de Rivarol”... D'où nous parle Béguin?

Et pourquoi réagit-il si mal à être “situé” (entendons le mot dans son acceptation strictement sartrienne) dans l'exercice de son métier? A priori, je ne vois pas de connotations néfastes au fait d'être conscient de ce que l'on produit et pour qui on le produit. Béguin, pourtant, s'en plaint, faisant l'autruche et voulant nous convaincre qu'il est inutile (sinon injuste!) de le lire selon une visée idéologique: “il (Boucher) n'a pas lu le livre comme il faut”. Béguin, on le voit, nous suggère le mode d'emploi. Le “lire comme il faut” c'est le lire comme un technicien, un scientifique de la langue. Mais alors, pourquoi Béguin truffe-t-il ses “billets” d'insinuations relevant du jugement moral, donc idéologique?

On avait cru que Béguin était lucide quant à l'exercice de son métier: sa lettre nous prouve le contraire. On pense à l'élève fautif: “C'est pas moi m'sieur. J'suis pas dans l'coup!”. Rien dans les mains, rien dans les poches (paranoïa de classe: “n'ai rien en banque”).

Béguin veut nous faire croire qu'il a été maltraité par un critique de gauche (je souris quand je reçois des lettres de lecteurs de gauche qui, eux, m'identifient à Béguin... Décidément, il y a quelqu'un, quelque part, qui lit très mal!): il oublie qu'il a été simplement “mis en situation”. Il l'a mal pris. Or, une lecture attentive de Sartre lui aurait évité un tel désagrément. Sartre explique très bien en quoi “l'intellectuel bourgeois” (c'est lui qui utilise l'expression à défaut d'une autre) ne peut qu'avoir un rapport de mauvaise conscience avec ce qu'il produit et envers ceux à qui il destine son travail... s'il est tant soit peu conscient de sa situation. À cet égard, on comprend totalement la réaction de Béguin à l'article qui concernait sa publication. On comprend également, à lire sa lettre, en quoi il justifie mon approche.

On ne pratique pas impunément le métier d'écrivain ou de linguiste et Béguin, désormais, aura perdu, lui aussi, un peu de son innocence.

6)

Un public assez pressé n'aura vu dans cet article qu'une attaque contre l'éditeur François Maspéro! (Jean Copans: *Pourquoi cette attaque contre Maspéro?*, *Le Devoir*, samedi 7 mai 1977, p. 28. et Christiane Bacave: *Maspéroïsme et créole*, *Le Devoir*, samedi 7 mai 1977, p. 28.). Dany Bébel-Gisler, pour sa part, dans une lettre, *(Qu'est-ce qui fait courir Yvon Boucher? Le Devoir*, samedi 21 mai 1977, p. 28.) où elle feint la surprise d'être l'objet d'une critique de "droite", me compare à nul autre que Pinochet... J'ai dit dans une lettre, *(Le Maspéroïsme contre le Marxisme? ou les taureaux s'ennuient le dimanche*, samedi 21 mai 1977, p. 28.) ce qu'il fallait penser de ces approches en précisant que: "la langue équivaut à la somme de ses dialectes mais n'est nullement réductible à l'un de ceux-ci."

Ces réactions me ravissent encore. Car, si je suis de "gauche" pour un Louis-Paul Béguin et de "droite" pour Bébel-Gisler, Copans ou Bacave, c'est admettre, en fait, que je ne suis d'aucune allégeance. Ma critique porte donc sur tous les fronts, en même temps, et témoigne par là de sa liberté. Or, toute critique finit par être intolérable puisqu'elle n'exonère personne: cette position de franc-tireur, si elle plaît à l'esprit et flatte l'idée de liberté que tout le monde prétend respecter, a tôt fait de détruire celui qui s'y adonne. On vous pardonnera toujours de "faire semblant", mais on ne vous tolérera pas avec votre athéisme et votre refus de militer: pour la plupart, la liberté d'esprit n'est tolérable que dans la mesure où elle a consenti à s'aliéner dans une idéologie.

7)

Cette recension déclencha une manne de courrier sous la bannière du féminisme outragé. Pour mémoire, je cite ce tableau d'honneur d'un sexisme à l'envers:

a) *Nom de déesse, laissez-nous l'anarchie du corps!, Le Devoir*, samedi 20 novembre 1976, p. 19. Marie Lalonde.

b) *Un article méprisant pour les femmes, Le Devoir*, samedi 4 décembre 1976, p. 36. Pierre Laberge.

c) *Les femmes sont décidées à exister, Le Devoir*, samedi 4 décembre 1976, p. 36. Madeleine Bernière.

d) *La vraie liberté des femmes, Le Devoir*, samedi 4 décembre 1976, p. 36. Myriam Fougère, Maude Drolet, Maryse Melançon, Marthe Amourir.

Suite à quoi je répondis: *Quand les vessies se prennent pour des lanternes, Le Devoir*, samedi 11 décembre 1976, p. 19. Entre-temps, je publiai mon article sur Réginald Hamel: *Réginald Hamel et Gaëtane de Montreuil*, (voir note 8)

Michel Roy m'apprit que Nicole Brossard avait fait des démarches à son endroit afin de me faire perdre mon poste de chroniqueur, en insistant pour que cela fut tenu secret... On saluera, en passant, la tactique du môme sournois qui vient moucharder à l'instituteur (candy assing), le recours à Papa Flic et, pour lutter contre la différence, le recours à la répression... Mais Brossard avait préjugé de son rayonnement dans le milieu puisqu'il lui fut répondu de manifester ses désirs ouvertement et par écrit: on conçoit aisément ce que cette exigence a pu avoir de répugnant pour un être si habitué aux basses messes et aux intrigues d'officines littéraires, ce qui explique le recours aux "copines" pour se protéger du ridicule d'avoir à assumer toute seule, comme une grande fille, le ridicule de l'opération. Je recopie en entier cette pièce de bravoure néo-fasciste de la "plottitude" féministe:

ON DEMANDE LA TÊTE DE M. BOUCHER

Monsieur,

Suite aux propos tenus par M. Yvon Boucher dans les pages du cahier *Culture et Société* du *Devoir*, nous vous demandons de retirer à M. Boucher la chronique dont il a la responsabilité chaque semaine dans votre journal.

En effet, il est inadmissible que nous puissions trouver dans les pages du *Devoir* des propos diffamatoires, sexistes et discriminatoires dont vous n'hésiteriez pas à éliminer la publication s'ils étaient tenus sur des noirs, par exemple. La hargne et le mépris (sous couvert de rigueur intellectuelle) que M. Boucher manifeste à l'égard des femmes dans les articles le discréditent comme chroniqueur littéraire. Nous vous demandons, en conséquence, de bien vouloir nous aviser, dans les plus brefs délais, de la décision que vous aurez prise à ce sujet.

Nicole Brossard, écrivain; *Denise Boucher*, journaliste et écrivain; *France Théoret*, écrivain et professeur de littérature; *Michèle Jean*, historien et andragogue; *Yolande Villemaire*, écrivain et professeur de littérature; *Marie Savard*, écriveuse; *Madeleine Gagnon*, écrivain et professeur de littérature à l'UQAM: *Janou Saint-Denis*, poète; *Denise Marcoux*, étudiante; *Odette Gagnon*, *auteur dramatique; France Labbé*, recherchiste; *Thérèse Dumouchel*, professeur de philosophie; *La librairie des femmes d'ici; Le journal des femmes "Les têtes de pioche"; Le centre de documentation féministe; Madeleine Ouellette-Michalska*, journaliste et romancière; *Jovette Marchesseault*, peintre et écrivain; *Louise Poliquin*, directrice des ateliers Louise Poliquin."

Évidemment, Michel Roy (sans doute au grand désespoir de Monique Roy...) ne pouvait souscrire à une demande aussi maladroite; il répondait, en particulier: "Nous pensons que la condition indispensable au maintien d'un dialogue dans un climat de liberté et de pluralisme — comme celui que nous cherchons à entretenir — est l'absence de cette forme de censure à laquelle vous nous proposez de recourir."

Je souligne, en passant, le "historien", au masculin, de l'historienne Michèle Jean ainsi que le "UQAM" de Madeleine Gagnon, petite chose marxiste qui vient jouer du terrorisme institutionnel pour donner du poids à sa griffe collectiviste.

On remarquera que pas une fois, dans ce billet, on ne s'est soucié de défendre le colloque "femme et écriture" sur le terrain où il fut mis en cause: on aura remplacé l'indigence de l'argumentation par la quantité des signataires et la pesanteur monnayable de leurs titres, soufflés et brandis en arguments d'autorité pour l'occasion...

J'insiste sur ceci: des intellectuelles (sic) demandent qu'un écrivain soit baillonné parce qu'il a usé du plus vieux droit au monde: le droit de parole. On se plaît à penser ce que serait cette belle utopie féministe qu'on nous promet: un néo-stalinisme répressif. La femme, comme toujours d'ailleurs, gardienne des valeurs, complice du Pouvoir et de la Police (toujours pendue aux basques du législateur pour exiger la castration de tout un chacun), réactionnaire d'office, aura craché, sans rougir, sur la plus belle des libertés individuelles: la liberté d'expression.

Parmi la mêlée, un soir d'automne, une blondasse joufflue au regard suidé, qui rappelait à n'en pas douter la fille de ferme typique des contes de Maupassant, fit son apparition sur le seuil de ma porte. Elle finit par bafouiller qu'elle m'écrirait ce que, visiblement, elle ne parvenait pas à me dire de vive voix. Ce coeur simple, c'était Denise Boucher qui, non contente d'avoir co-signé la fameuse pétition, y allait de son petit madrigal pleurnichard: *La liste noire des femmes, Le Devoir*, vendredi 24 décembre 1976, p. 12.

Quelques épiphénomènes persistèrent. Annie Leclerc, avec sa *Lettre aux québécoises du colloque d'octobre 75, (Le Devoir*, samedi 19 février 1977, p. 75.), sans doute sollicitée par Monique Roy, ne nous épargna aucune des platitudes du féminisme le plus tarte: celui qui fait rire Annie Le Brun et Sylvie Caster, celui de *F Magazine* et de *Châtelaine*, celui-là même que Monique Roy cultive avec l'ardeur d'une "représentante Avon", avec l'absence triomphante de tout sens critique, de tout ridicule.

Le tout s'arrêta brutalement lorsque Michel Roy reçut une lettre signée: Gérard Joly, François Charon, Raymond Lévesque, Micheline Marquis et Lise Landry, *(Le féminisme est un luxe que Le Devoir ne peut plus se payer, Le Devoir*, samedi 26 février 1977, p. 25.), où on mettait en cause l'action cachée de sa femme dans la relance du débat féministe et la compétence critique de celle-ci autre que le fait d'être l'épouse du rédacteur en chef... Michel Roy, soudain, ne trouvait plus le féminisme aussi drôle. Sa dulcinée, pour sa part, rageait dans son coin ne trouvant rien à répondre. L'abondance du courrier cessa soudain...*

8)

Cet article fut traîné de force dans le débat féministe: on crut y voir matière à "discrimination" sexiste puisque Réginald Hamel tenait Gaëtane de Montreuil pour une femme de lettres des plus modestes. Paradoxalement, ce ne fut pas Hamel qui fut pris à partie, mais bien le critique qui avait fait la recension. La grossièreté du procédé aurait fait sourire tout le monde, sauf nos féministes qui voulaient faire flèche de tout bois et prouver, à tout prix, mon ignominie...

Avec le recul, on n'en croit pas ses yeux!

**Addenda à la "plottitude féministe".*

Au début de janvier 81, soit plus de quatre années après les événements cités en note 7, je reçus un appel de Monique Belzil, recherchiste intérimaire (il faut le faire!) pour l'émission *Débat*, animée par Wilfrid Lemoyne, me priant de vouloir bien assister à un débat, à une semaine de là, sur le thème *Féminisme et écriture.* Ma vis-à-vis serait une certaine Suzanne Lamy. Puisqu'on m'offrait un cachet de 150 $ j'acceptai en faisant remarquer à Belzil qu'on ne se souvenait des gens que pour les imbécillités, ajoutant qu'en général les féministes avaient plutôt peur de me rencontrer.

À quelques jours de l'émission, je reçois un appel paniqué de Belzil qui me fait savoir qu'il n'est plus question que je me présente à l'émission: Suzanne Lamy refuse systématiquement de défendre l'écriture féminine devant Yvon Boucher! Je rejoins Lemoyne qui m'explique que Lamy a "eu peur" de me rencontrer suite aux informations qu'elle avait prises auprès de ses "soeurs" féministes du milieu: J'éclate de rire, n'en croyant pas mes oreilles en précisant que je ne connais même pas cette Lamy qui, me dit-on, aurait publié son ronron engagé chez Miron.

Les lecteurs auront compris sans que j'aie besoin d'accabler cette pauvre Lamy, plus à l'aise dans la bafouille "pohétique" que dans l'argumentation théorique. On pourra apprécier de quelle étoffe humaine est faite cette caqueteuse enjuponnée, incapable de se payer le minimum vital de quiconque prétend avoir une certaine envergure intellectuelle: le courage de défendre ses opinions...

Faut-il conclure que mes objections contre un concept aussi farfelu (mais rentable pour le marketing féministe) que celui d'écriture féminine aient été si solides pour qu'aucune de nos intellectuelles québécoises féministes en vue ne se soit avérée capable de les réfuter publiquement?

Le débat reste ouvert. Avis aux femmes savantes! Il est fort à parier, cependant, que d'ici quelques années, celles-là mêmes qui se sont rangées sous cette bannière espéreront qu'on ne leur rappelle cet aspect de leur "carrière"...

TABLE DES MATIÈRES

L'Écrivain et sa condition

Profils

Théorie Littéraire

L'Usage du texte

Surréalisme

Langage et parole

Psychographies

Littérature et Société

Individu et Société

Iconoclastes